lgen

Stratégies gagnantes en lecture

6 à 8 ans

Sarah Kartchner Clark
et collaborateurs

Adaptation
Carole Duguay

Traduction
Muriel Steenhoudt

Chenelière Éducation

Stratégies gagnantes en lecture
6 à 8 ans

Traduction de : *Successful Strategies for Reading in the Content Areas : Grades 1-2* de Sarah Kartchner Clark, Christine Dugan, Teresa Moretine, Jennifer Overend Prior, Jan Ray, Mary Rosenburg et Andrea Trischitta. © 2004 Shell Education Publishing (ISBN 0-7439-0177-0)

Édition : Robert Paré
Coordination : Nadine Fortier
Révision linguistique : Sylvie Bernard
Correction d'épreuves : Isabelle Michelle Roy
Adaptation de la conception graphique originale : Fenêtre sur cour
Infographie : Fenêtre sur cour
Adaptation de la couverture originale : Josée Brunelle
Impression : Imprimeries Transcontinental

Dans cet ouvrage, le masculin est utilisé comme représentant des deux sexes, sans discrimination à l'égard des hommes et des femmes, et dans le seul but d'alléger le texte.

Plusieurs marques de commerce sont mentionnées dans cet ouvrage. L'Éditeur n'a pas établi de liste de ces marques de commerce et de leur propriétaire, et n'a pas inséré le symbole approprié à chacune d'elles puisqu'elles sont nommées à titre informatif et au profit de leur propriétaire, sans aucune intention de porter atteinte aux droits de propriété relatifs à ces marques.

Catalogage avant publication de Bibliothèque et Archives nationales du Québec et Bibliothèque et Archives Canada

Vedette principale au titre :

Stratégies gagnantes en lecture : 6 à 8 ans

Traduction de : Successful strategies for reading in the content areas, grades 1-2.

ISBN 978-2-7650-1727-1

1. Lecture – Relation avec les matières d'enseignement. 2. Lecture – Compréhension. 3. Lecture (Enseignement primaire). I. Clark, Sarah K. II. Duguay, Carole.

LB1050.455.S9214 2007 372.47'6 C2007-941210-6

7001, boul. Saint-Laurent
Montréal (Québec)
Canada H2S 3E3
Téléphone : 514 273-1066
Télécopieur : 514 276-0324
info@cheneliere.ca

ISBN 978-2-7650-1727-1

Dépôt légal : 1er trimestre 2008
Bibliothèque et Archives nationales du Québec
Bibliothèque et Archives Canada

Imprimé au Canada

1 2 3 4 5 ITG 11 10 09 08 07

Nous reconnaissons l'aide financière du gouvernement du Canada par l'entremise du Programme d'aide au développement de l'industrie de l'édition (PADIÉ) pour nos activités d'édition.

Gouvernement du Québec – Programme de crédit d'impôt pour l'édition de livres – Gestion SODEC.

Table des matières

Introduction

La compréhension en lecture est un processus complexe qui implique de nombreuses interactions entre le lecteur et le texte et fait appel à de multiples compétences. Ce processus prend naissance avant la lecture, alors que le lecteur active ses connaissances antérieures. Il se développe pendant la lecture, tandis que le lecteur confronte ses connaissances antérieures avec les nouveaux éléments d'information qu'il apprend. Il se prolonge enfin après la lecture, afin d'améliorer la compréhension grâce à un certain nombre d'activités post-lecture.

Les élèves ont besoin de différentes stratégies pour devenir des lecteurs accomplis. Ils doivent comprendre la façon dont les mots sont imprimés sur la page, l'objectif du texte, ainsi que la relation qui existe entre la langue écrite et la langue parlée. Ils doivent aussi connaître les différents modèles et styles d'écriture. Les expériences ou les connaissances personnelles sur le sujet s'avèrent utiles.

Certaines caractéristiques du texte influent sur la compréhension. Les lecteurs éprouvent parfois des difficultés à interpréter des phrases complexes et ils doivent se baser sur le contexte pour en découvrir le sens. Le texte peut être structuré de différentes façons et les élèves doivent reconnaître ces modèles structuraux : par exemple, un texte peut reposer sur une structure chronologique ou encore sur des liens de cause à effet.

Les élèves peuvent apprendre ces caractéristiques propres au texte par un enseignement systématique et par une exposition répétée à des textes très diversifiés. Quand un élève comprend le type de texte qu'il lit et sa structure, il le comprend mieux.

Notre livre *Stratégies gagnantes en lecture : 6 à 8 ans* propose un certain nombre de stratégies de lecture qui permettent d'améliorer la compréhension. Certaines stratégies comprennent des questions d'intention, des prédictions, des aperçus, des guides d'anticipation, des toiles, des suggestions avant de lire, etc. Le livre est divisé en 12 chapitres :

- L'idée principale et les détails complémentaires
- Résumer et paraphraser
- L'enrichissement du vocabulaire
- Faire des liens avec les connaissances antérieures
- Le point de vue de l'auteur
- Les modèles structuraux
- Utiliser des organisateurs textuels
- Utiliser des parties du livre
- Faire des déductions
- Définir l'objectif
- Poser des questions
- La visualisation

Chaque chapitre comprend une introduction, des stratégies d'enseignement et des modèles à l'usage des élèves. Pour enseigner le plus efficacement possible ces importantes compétences informatives, vous devez absolument lire l'introduction de chaque chapitre avant d'utiliser les stratégies. Les stratégies proposées dans ce livre peuvent activer des connaissances antérieures et donner aux élèves un objectif de lecture. Ces activités vont motiver les élèves à lire et à comprendre le texte.

Le cédérom qui accompagne le livre contient les fichiers PDF (logiciel Adobe **Acrobat** Reader) des organisateurs graphiques présents dans les différents chapitres du livres. Reportez-vous aux pages 263 à 265 pour consulter l'index de ces fichiers.

CHAPITRE 1

L'idée principale et les détails complémentaires

Nombreux sont les élèves des premières années du primaire qui éprouvent des difficultés à lire et à comprendre les livres informatifs. Les jeunes élèves sont habitués à lire des histoires et des récits qui sont généralement des textes prévisibles et qui suivent toujours le même modèle. On leur demande d'ailleurs souvent de raconter le début, le milieu et la fin de l'histoire. Les textes informatifs sont écrits différemment. Leur contenu n'est habituellement pas prévisible ou répétitif, et leur niveau d'écriture est supérieur à celui des textes de fiction. Le texte peut aussi contenir des concepts nouveaux et du vocabulaire inhabituel. Pour comprendre ce genre d'écrits, il est impératif de pouvoir déterminer ce qui est important dans le texte. Les élèves doivent donc être en mesure de donner les idées principales pour montrer qu'ils ont compris ce qu'ils ont lu dans les textes informatifs ou les exposés.

Les élèves doivent ainsi apprendre des stratégies qui leur permettent de dégager l'idée principale d'un texte informatif et de rappeler les faits importants ainsi que les détails des exposés et des sources graphiques.

Stratégie 1 : La structure du texte

Aidez les élèves à réussir. Expliquez aux élèves que la plupart des textes informatifs contiennent des indices qui permettent de dégager l'idée principale. L'idée principale se trouve souvent au début ou à la fin du texte, ou alors elle comporte un passage en caractères gras. Donnez des exemples de textes ou de livres qui utilisent ces indices et incitez les élèves à chercher l'idée principale dans les premiers ou les derniers paragraphes du texte. Enseignez également aux élèves à lire les caractères gras et ce qui les entoure pour découvrir l'idée principale. Les élèves doivent s'exercer à utiliser cette stratégie, mais il faut les prévenir que tous les textes informatifs ne sont pas façonnés sur ce modèle. Il s'agit néanmoins d'une bonne stratégie pour débuter, car elle est prévisible et rapidement maîtrisable par les élèves. Plusieurs élèves qui ne savaient pas ce qu'était une idée principale comprendront à présent de quoi il s'agit et ils seront peut-être capables de la déceler dans d'autres livres construits suivant des structures plus difficiles.

Stratégie 2 : Le survol du texte et des images

Ensemble, faites un survol des images ou du texte avant de commencer la lecture. Feuilletez le livre et arrêtez-vous à chacune des pages pour poser des questions concernant les images et le texte afin de forcer les élèves à se concentrer sur l'idée principale. Un survol des images ou du texte peut faire ressortir des phrases ou des concepts clés. Cette technique permet également aux élèves de faire le lien entre leurs propres expériences et l'idée principale du livre, et ce, avant d'entamer la lecture.

Une fois que les élèves ont pris l'habitude d'utiliser la méthode de survol pour dégager l'idée principale, ajoutez une étape avant de commencer la lecture. Apprenez aux élèves à poser des questions auxquelles ils répondront en lisant. Au début, l'enseignant doit montrer à la classe comment procéder : « En lisant ce livre, je pense que je vais pouvoir répondre à cette question : __. Pendant ma lecture, je vais me demander si j'ai trouvé la réponse à ma question. » Commencez par écrire votre ou vos questions et prenez des notes ou inscrivez le numéro de la page où vous trouvez la réponse. Incitez les élèves à noter leurs questions avant la lecture, afin qu'ils ne les oublient pas et qu'ils puissent les consulter pendant leur lecture. L'enseignant doit poser des questions au sujet de l'idée principale du texte : posez vous-même quelques questions afin que les élèves se familiarisent avec le type de questions qu'ils peuvent se poser. Ces dernières ne porteront peut-être pas toujours sur l'idée principale, mais ce n'est pas grave. En posant des questions avant de commencer la lecture et en essayant d'y répondre pendant la lecture, les élèves s'impliquent activement dans le processus de lecture.

Stratégie 3 : Les prédictions

Faire des prédictions avant de commencer la lecture d'un livre est une autre stratégie qui peut être utilisée pour inciter les élèves à se concentrer sur l'idée principale du livre. Montrez la couverture du livre ou lisez les premières pages du texte, puis arrêtez-vous pour demander : « Que pensez-vous apprendre en lisant ce livre ? ». Au fur et à mesure que les élèves répondent, demandez-leur de justifier leur choix. Inscrivez ces prédictions dans un tableau afin d'en discuter une fois la lecture terminée. En demandant aux élèves de faire des prédictions, vous les obligez à définir leurs propres objectifs de lecture. Faire des prédictions oblige les élèves à faire plus attention et à améliorer leur compréhension. Les élèves peuvent utiliser la feuille de travail de la page 8 pour s'entraîner à utiliser cette stratégie.

Stratégie 4 : La technique SVA

Donna Ogle a mis au point la technique SVA (*voir la fiche de la technique SVA, page 9*), une stratégie utilisée pour aider les lecteurs à se concentrer sur les idées principales d'un texte en faisant appel à leurs connaissances antérieures. Cette technique fonctionne bien avec les exposés. Les lettres SVA viennent respectivement des expressions suivantes : « Ce que je **Sais** », « Ce que je **Veux** savoir » et « Ce que j'ai **Appris** ». Voici les étapes d'un tableau de la technique SVA :

1. **Ce que je sais (S) :** Les élèves font un remue-méninges pour découvrir ce qu'ils savent d'un sujet qu'ils vont étudier. L'enseignant note leurs réponses dans la colonne S du tableau. Toutes les réponses sont notées, même celles qui semblent erronées. Le contenu de cette colonne sera abordé après que le livre aura été lu.
2. **Ce que je veux savoir (V) :** Une fois que les élèves ont donné les éléments d'information qu'ils connaissent, l'enseignant leur demande ce qu'ils aimeraient savoir sur le sujet. Les réponses des élèves sont notées dans la colonne V. Les élèves peuvent les consulter pendant la lecture du livre.
3. **Ce que j'ai appris (A) :** Cette colonne est remplie après la lecture du livre. Les réponses aux questions de la colonne V sont notées ici, ainsi que tous les nouveaux éléments d'information appris dans le livre.

Stratégie 5 : La carte conceptuelle

La carte conceptuelle est une stratégie qui vise à aider les élèves à classer les éléments d'information qu'ils connaissent sur le sujet en différentes catégories. C'est une représentation visuelle du sujet. Voici les différentes étapes pour créer une carte conceptuelle :

1. L'enseignant écrit le sujet dont il est question au tableau, dans un diagramme ou sur un transparent. Il trace un ovale autour de ce qu'il a écrit.
2. Les élèves réfléchissent à des mots qui décrivent le sujet. Au fur et à mesure que les élèves donnent des réponses, l'enseignant les écrit dans les boîtes qui entourent l'ovale central et complète ainsi le diagramme. Ensuite, il relie les différentes boîtes à l'ovale à l'aide de flèches. Au-dessus de chaque flèche, l'enseignant écrit des phrases ou des mots qui indiquent la relation entre le sujet et les autres mots.
3. Les élèves donnent des exemples du sujet et l'enseignant les note dans des ovales, plus petits cette fois, qu'il relie à l'aide de flèches au sujet qui se trouve dans l'ovale central.

Voici un exemple de mappage sémantique pour les insectes :

Une carte conceptuelle sur les insectes

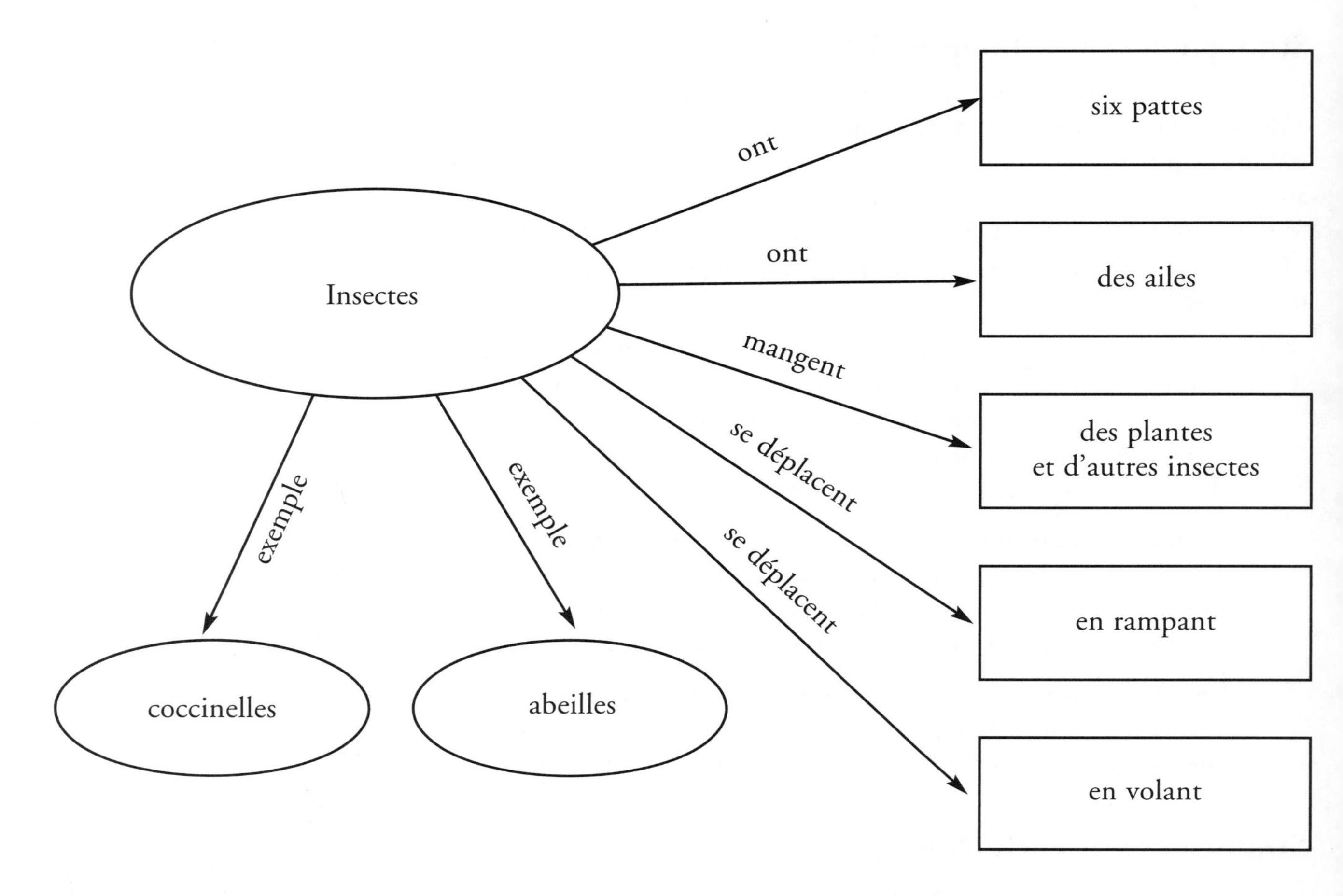

La technique de la carte conceptuelle fonctionne bien quand on décide de lire plusieurs ouvrages traitant du même sujet. On peut ajouter les nouveaux éléments d'information sur la toile au fur et à mesure qu'on les apprend. Vous trouverez un organisateur graphique vierge à la page 10.

Stratégie 6 : La carte conceptuelle créative

La carte conceptuelle créative est une combinaison d'une carte conceptuelle et d'images. On représente l'idée principale à l'aide d'un dessin. Ensuite, on ajoute les détails qui soutiennent l'idée principale tout autour du dessin. Cette technique est recommandée pour les jeunes élèves qui commencent à explorer les textes informatifs. Vous pouvez utiliser l'organisateur graphique intitulé « Fais un dessin ! » qui se trouve à la page 11 ou l'organisateur graphique intitulé « La carte conceptuelle créative » à la page 12 pour cette stratégie.

Stratégie 7 : La toile d'idées

La toile d'idées peut être utilisée avant et après la lecture. C'est une excellente stratégie à utiliser après la lecture, quand on enseigne aux élèves comment trouver les idées principales d'un texte informatif. Le sujet du livre est noté dans un ovale au tableau. On trace ensuite des lignes entre l'ovale central et les autres ovales plus petits qui contiennent des idées relatives au sujet de l'ovale central. D'autres lignes sont ensuite tracées entre chaque petit ovale et les éléments d'information apportés par les élèves après qu'ils ont lu le livre. Vous pouvez utiliser le modèle de la page 13 pour cette activité.

Admettons, par exemple, que les élèves vont lire un livre au sujet des pingouins. On écrira le mot *pingouin* dans l'ovale central. On tracera ensuite, à partir de ce cercle, des lignes qui se rendront vers des ovales plus petits intitulés « à quoi il ressemble », « ce qu'il mange », « où il vit » et « comment il se déplace ». Les éléments d'information apportés par les élèves seront ensuite écrits près des lignes qui partent de ces ovales plus petits comme dans l'exemple :

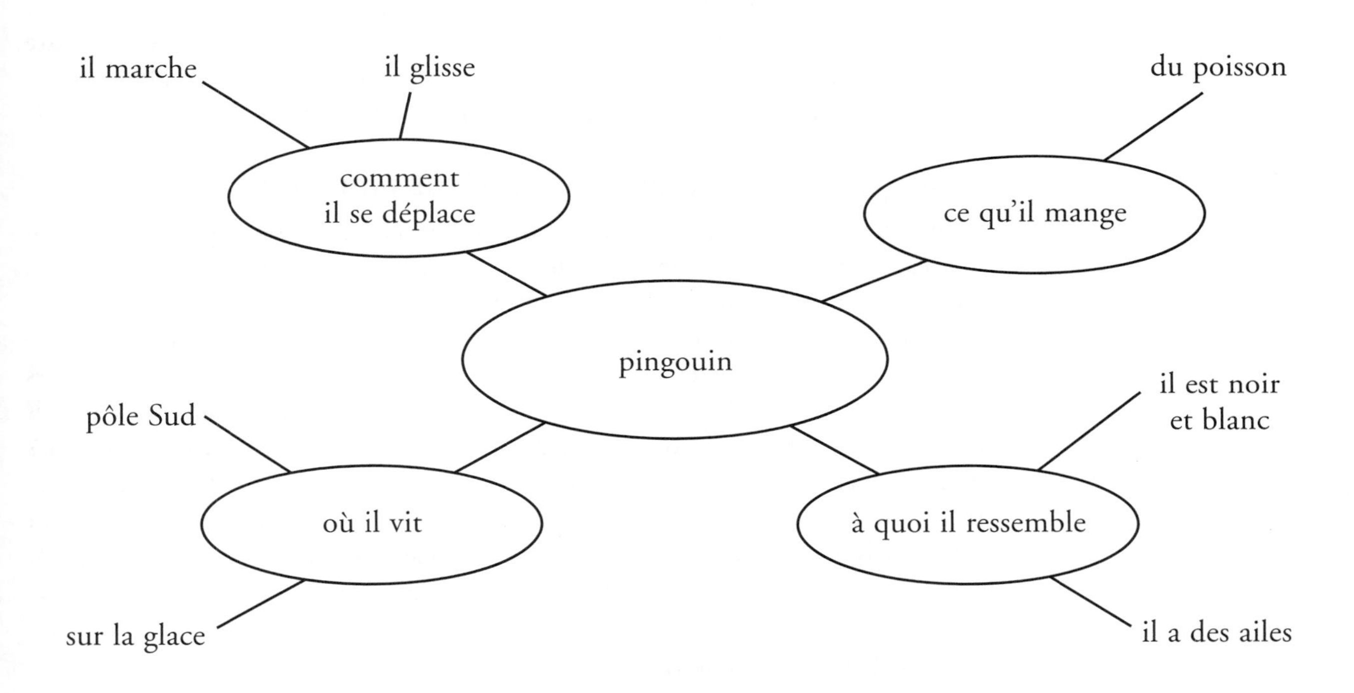

Stratégie 8 : Comprendre l'idée principale

Voici un autre organisateur graphique que l'on peut utiliser après la lecture. Les élèves doivent écrire l'idée principale dans la boîte et la représenter à l'aide d'un dessin. Ensuite, dans les autres boîtes, ils écrivent les détails complémentaires et font un dessin pour chacun. Vous pouvez utiliser le modèle vierge de la page 14 pour cette stratégie. D'autres présentations sont proposées aux pages 15 et 16.

Stratégie 9 : La réflexion à voix haute

Dans cette stratégie, l'enseignant fait une lecture à voix haute aux élèves, en s'arrêtant aux fins de phrases et aux autres arrêts de mise pour dire ce qu'il pense. C'est une stratégie dans laquelle on fait appel aux prédictions, au questionnement, à la relecture et à l'utilisation du texte pour comprendre des mots inconnus. L'enseignant peut par exemple utiliser des phrases telles que : « Je me demande si... », « Je pense savoir que... », « Je pense que nous allons apprendre que... » et « Sur l'image, j'ai remarqué que... ». Pendant cet exercice, les élèves doivent se limiter à écouter leur enseignant réfléchir à voix haute sans intervenir. L'enseignant doit indiquer d'une façon ou d'une autre quand il lit et quand il réfléchit à voix haute —, peut-être en changeant le ton de sa voix, son regard, etc. Après avoir montré aux élèves comment réfléchir à voix haute, l'enseignant doit représenter graphiquement le processus de réflexion pour les élèves sous forme de diagramme, tandis qu'ils discutent de ce qu'ils ont appris. Il est important pour l'enseignant d'avoir lu le livre au préalable et d'avoir planifié ce qui va être dit pendant la séance de réflexion à voix haute. Il est recommandé d'utiliser cette stratégie tout au long de l'année. Une fois que les élèves la maîtrisent bien, l'enseignant peut travailler avec de petits groupes qu'il peut inciter et aider à réfléchir à voix haute quand ils lisent de nouveaux livres. Vous pouvez vous servir du « Diagramme de réflexion à voix haute » de la page 17 pour cette stratégie.

Stratégie 10 : Les papillons adhésifs amovibles

Cette stratégie peut être utilisée en même temps que la stratégie de réflexion à voix haute. Pendant que l'enseignant lit le livre choisi, il note ses réflexions sur des papillons adhésifs amovibles. S'il se pose une question ou hésite, il peut indiquer un point d'interrogation sur le papillon adhésif amovible et le coller sur le texte. Les idées principales et les détails complémentaires peuvent également être notés sur des papillons adhésifs amovibles placés dans le livre. Ces notes sont utiles après la lecture du livre, au moment où les élèves et l'enseignant construisent un diagramme. Elles permettent aux élèves de se souvenir de ce qui était important dans le livre. Une fois que les élèves ont vu l'enseignant modeler cette technique plusieurs fois, ils peuvent l'utiliser eux-mêmes lors de séances de lecture dirigée, en dyades ou en petits groupes.

Stratégie 11 : La mini-leçon

Dans cette stratégie, l'enseignant écrit un petit paragraphe informatif avant le cours. Il lit ensuite ce paragraphe une fois, puis explique aux élèves qu'ils vont chercher l'idée principale ou les détails complémentaires, suivant la compétence visée par la leçon. Vous pouvez utiliser les trois feuilles de travail des pages 18, 19 et 20 pour trouver l'idée principale d'un texte. Les élèves doivent lire chaque paragraphe et souligner l'idée principale. Ils peuvent faire cette activité individuellement, en dyades ou en petits groupes.

Stratégie 12 : Le diagramme en T

Revoyez l'idée principale et les détails complémentaires à l'aide d'un diagramme en T. Dessinez un diagramme en T au tableau et demandez aux élèves de réfléchir à l'idée principale et de décider comment intituler le diagramme. Ensuite, demandez-leur de réfléchir aux détails rencontrés dans leur lecture et de vous dire où les placer sur le diagramme. Une fois que les élèves sont à l'aise avec cet exercice, demandez-leur de remplir leur propre diagramme. Vous pouvez utiliser le modèle de la page 21.

Admettons que vous donnez une leçon de géographie et que l'idée principale est la suivante: Il y a plusieurs types de configurations de terrain et d'étendues d'eau.

Idée principale:
Configurations de terrain

Détails:

1. montagne
2. vallée

Idée principale:
Étendues d'eau

Détails:

1. lac
2. océan

Stratégie 13: Écrire sa propre légende

Les légendes qui se trouvent sous les photos ou dans les marges contiennent souvent l'idée principale ou d'importants éléments d'information nécessaires à la compréhension du texte. La plupart des élèves les ignorent dès qu'ils lisent de façon autonome. Pour apprendre aux élèves à lire les légendes, montrez-leur des exemples de textes agrémentés d'images et de légendes. Demandez aux élèves de lire les légendes ou, si elles sont trop compliquées, lisez-les vous-même à voix haute. Ensuite, demandez aux élèves d'amener de la maison une photo qu'ils ne doivent pas récupérer ou une photo découpée dans un magazine. Demandez-leur de la coller sur un morceau de papier et d'écrire une légende. Rassemblez toutes les photos dans un cahier de classe et proposez un exercice de lecture de légendes à la classe.

Stratégie 14: Lire les légendes à voix haute

Une fois que les élèves ont compris l'importance des légendes, ils doivent passer à l'étape suivante: faire la distinction entre les légendes qui sont importantes et celles qui ne le sont pas. Pour ce faire, utilisez la stratégie de réflexion à voix haute présentée à la page 6.

Stratégie 15: Les tableaux, les graphiques et les diagrammes

Vous devez expliquer aux élèves que, dans les livres informatifs, les éléments importants d'information se trouvent souvent dans les éléments graphiques. Les diagrammes, les tableaux et les graphiques contiennent en effet souvent l'idée principale ou des éléments d'information importants pour la compréhension du texte. Aidez les élèves à trouver l'idée principale dans les sources graphiques en leur proposant un éventail de tableaux, de graphiques et de diagrammes. Montrez-leur les éléments importants d'information et expliquez-leur comment ils peuvent en trouver dans les tableaux ou les graphiques.

Les prédictions

Stratégie 3

Consignes : Réponds aux questions suivantes dans l'espace prévu à cet effet. D'après toi, de quoi parle le livre ? Qu'as-tu appris ?

Titre du livre : ______________________________

____

Ce que je prédis : ______________________________

____

Ce que j'ai appris : ______________________________

____

Consignes : Fais un dessin de ce que tu as appris.

L'organisateur graphique de la technique SVA

Stratégie 4

Consignes : Écris le titre du livre que tu vas lire. Remplis les colonnes S et V avant de lire le livre. Remplis la colonne A une fois que tu auras terminé ta lecture.

Titre : ______________________________

S : Ce que je Sais	V : Ce que je Veux savoir	A : Ce que j'ai Appris

La carte conceptuelle

Stratégie **5**

Consigne : Remplis le diagramme.

Sujet

Exemples

Fais un dessin !

Stratégie 6

Consignes : Fais un dessin du sujet de ton livre dans la grande boîte centrale. Dans les autres boîtes, écris des mots qui décrivent le sujet.

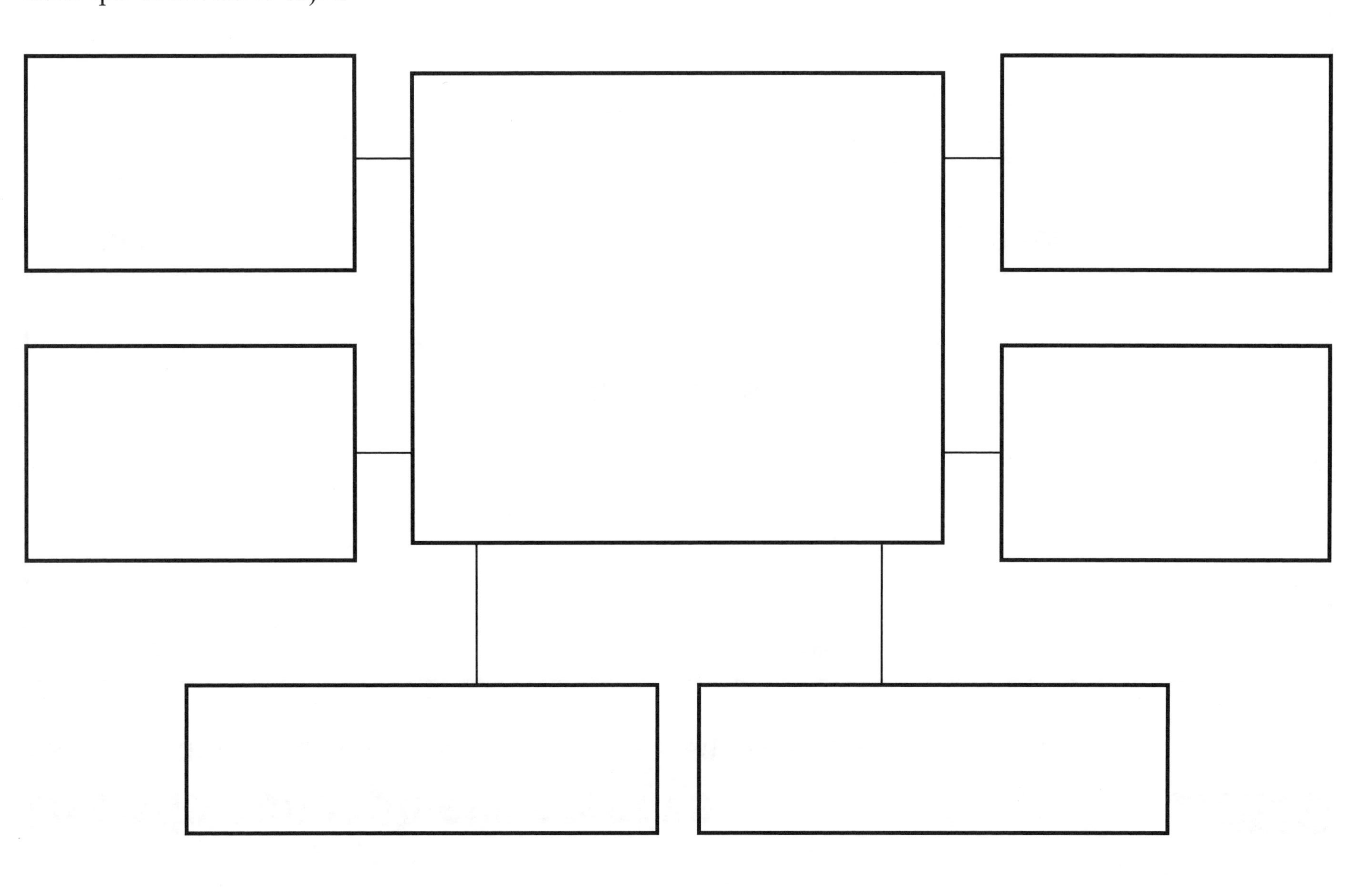

La carte conceptuelle créative

Stratégie 6

Consignes : Illustre l'idée principale dans l'ovale. Inscris des détails dans les cases appropriées.

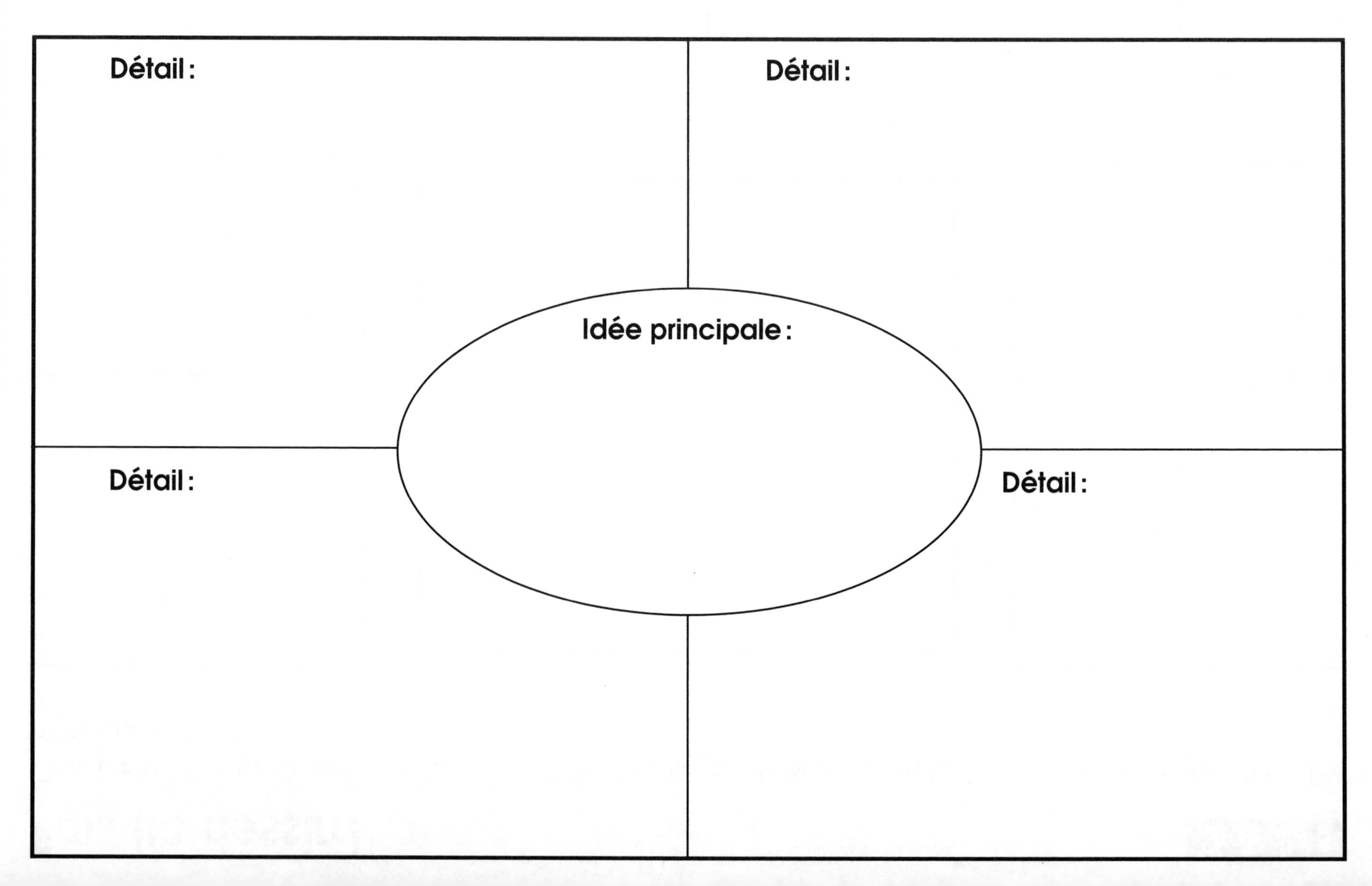

La toile d'idées

Stratégie 7

Consignes : Écris le sujet de ton livre dans l'ovale central. Ensuite, remplis la toile.

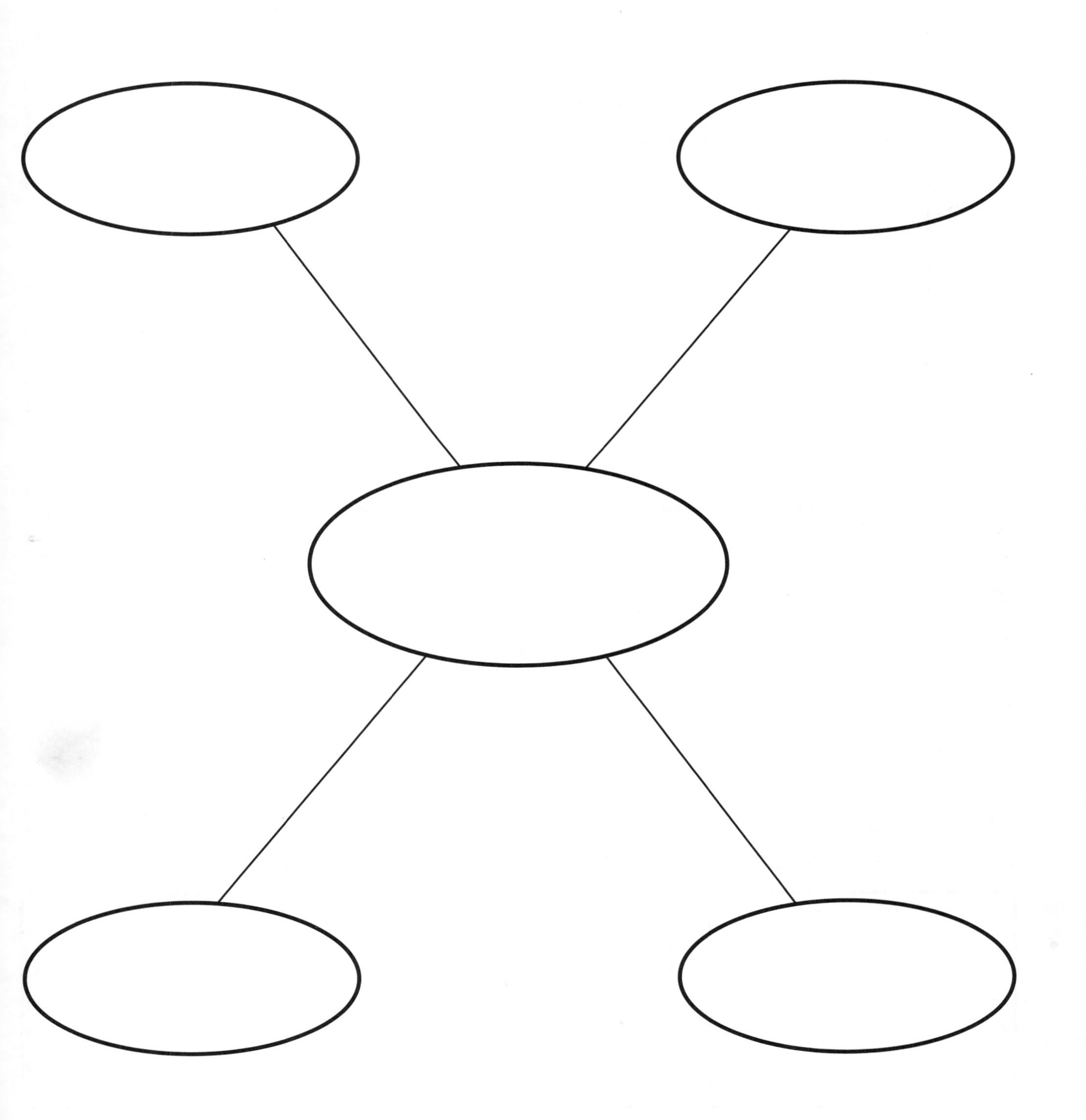

Comprendre l'idée principale

Stratégie 8

Consignes : Une fois ta lecture terminée, écris l'idée principale du livre dans la boîte ci-dessous et représente-la à l'aide d'un dessin. Dans chacune des autres boîtes, écris une chose que tu as apprise au sujet de l'idée principale. Tu peux illustrer tes propos à l'aide de dessins.

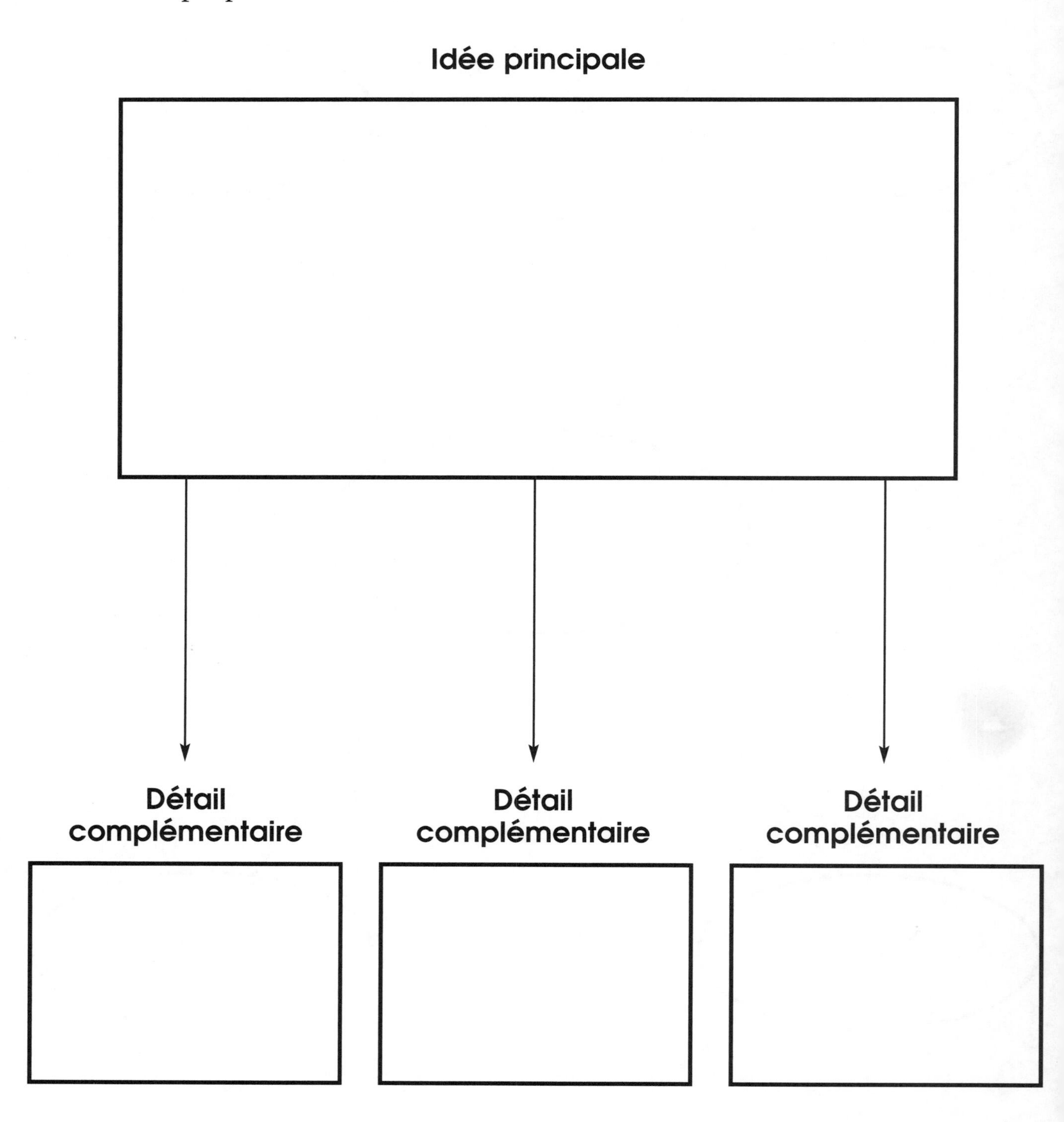

Travailler sur l'idée principale

Stratégie 8

Consignes : Écris l'idée principale du livre dans la boîte supérieure. Ensuite, donne quatre détails qui soutiennent l'idée principale.

Idée principale : ______________________________

____

____

Détail complémentaire :	Détail complémentaire :
______________________________	______________________________
______________________________	______________________________
______________________________	______________________________
______________________________	______________________________
______________________________	______________________________
______________________________	______________________________
Détail complémentaire :	**Détail complémentaire :**
______________________________	______________________________
______________________________	______________________________
______________________________	______________________________
______________________________	______________________________
______________________________	______________________________
______________________________	______________________________

Travailler avec plusieurs idées principales

Stratégie **8**

Consignes : Trouve deux idées principales dans ton livre. Écris-en une dans chaque boîte. Donne deux détails qui soutiennent chaque idée principale.

Titre : ____________________

Sujet : ____________________

Idée principale 1 : ____________________

____

____

Détail complémentaire : ____________________

____

Détail complémentaire : ____________________

____

Idée principale 2 : ____________________

____

____

Détail complémentaire : ____________________

____

Détail complémentaire : ____________________

____

Le diagramme de réflexion à voix haute

Stratégie 9

Consignes : Regarde la couverture de ton livre. Dessine-la sur le livre représenté ci-dessous. Ensuite, complète les affirmations dans chaque boîte.

Dans le dessin, j'ai constaté que

____

______________________________.

Je pense savoir que ______________

____

____

______________________________.

Je me demande si

____

____

____

______________________________.

Je pense que je vais apprendre que

____

______________________________.

Trouve l'idée principale 1

Consignes : Lis l'histoire. Souligne l'idée principale.

Des grenouilles sauteuses

Les grenouilles possèdent des pattes postérieures longues et puissantes.

Elles s'en servent pour plonger et pour sauter.

Certaines grenouilles peuvent effectuer des bonds de près de deux mètres !

Est-ce que tu peux en faire autant ?

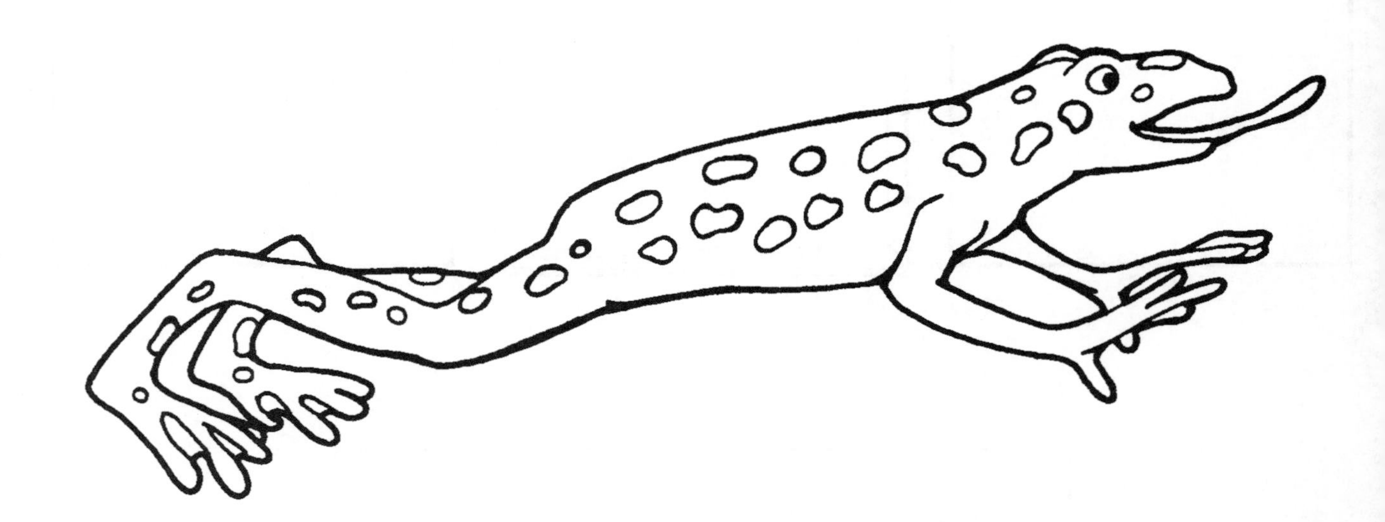

Trouve l'idée principale 2

Stratégie **11**

Consignes : Lis l'histoire. Réfléchis à l'idée principale, puis réponds aux questions.

Les nuages

Regarde les nuages dans le ciel. Les nuages sont composés de minuscules gouttes d'eau. Certains nuages sont blancs. Ils ne contiennent pas d'eau. D'autres nuages sont gris ou noirs. Ils contiennent de l'eau et annoncent l'arrivée d'un orage. Si tu vois des nuages sombres, il vaut mieux prendre ton parapluie !

1. De quoi sont composés les nuages ? ______________________

____

2. Comment peux-tu savoir s'il va pleuvoir ? ______________________

____

3. Quelle est l'idée principale de cette histoire ? ______________________

____

Trouve l'idée principale 3

Consignes : Lis l'histoire, puis réponds aux questions.

Les tortues de mer

Les tortues de mer sont d'excellentes nageuses. Elles ont une carapace plate qui leur permet de se déplacer rapidement dans l'eau. Leurs pattes sont des nageoires plates pourvues de peau entre les orteils. Les pattes des tortues de mer ne conviennent pas vraiment pour la marche, mais elles leur permettent de couvrir d'importantes distances dans l'eau.

1. Recopie la phrase qui donne l'idée principale de l'histoire. ____________

____

2. Écris une phrase qui donne un détail de l'histoire. ____________

____

Le diagramme en T

Consignes : Écris une idée principale de chaque côté du diagramme. Ensuite, écris trois détails complémentaires pour chaque idée principale.

Idée principale : ______________________

Détail :

1. ______________________
2. ______________________
3. ______________________

Idée principale : ______________________

Détail :

1. ______________________
2. ______________________
3. ______________________

CHAPITRE 2

Résumer et paraphraser

L'enseignant a pour tâche d'évaluer la compréhension des élèves qui apprennent à lire et à comprendre des textes informatifs. Les réactions des élèves à l'égard du texte indiquent à l'enseignant si les élèves sont intéressés et s'ils comprennent la matière. Une des compétences que les élèves doivent acquérir est l'art de résumer. Résumer consiste à lire un texte, à en relever les idées principales et à les présenter brièvement.

Pour résumer un texte, les élèves doivent être capables de faire la distinction entre ce qui est important et ce qui ne l'est pas, afin de garder uniquement ce qui est important. Apprendre aux élèves comment lire un texte pour le comprendre et comment résumer un texte demande beaucoup de réflexion. Cela définit également un objectif de lecture qui engage directement les élèves pendant la lecture. Paraphraser consiste à raconter ce qu'on a lu avec ses propres mots. Les élèves peuvent y recourir pour expliquer les idées principales d'un texte dans leurs propres termes, rendant par la même occasion le texte plus accessible pour les autres élèves.

Résumer et paraphraser sont des compétences qui peuvent être enseignées directement aux élèves. L'enseignant doit montrer aux élèves comment trouver, comprendre et organiser les éléments d'information qui se trouvent dans les textes informatifs. Avant de montrer comment utiliser une stratégie, l'enseignant établit des directives pour résumer et paraphraser. En guise d'aide-mémoire, il peut présenter aux élèves un tableau reprenant ces directives. Voici quelques exemples de directives pour résumer un texte :

1. Lire le texte.
2. Relire le texte en cherchant les éléments d'information importants et les idées principales.
3. Décider quels éléments d'information sont importants.
4. Noter les éléments d'information dans un organisateur graphique.
5. Utiliser les éléments d'information pour rédiger un résumé de façon logique.
6. Ne conserver que ce qui est important.

Les stratégies suivantes peuvent être enseignées dans le cadre de séances de lecture partagée, de lecture dirigée et de mini-leçons. L'enseignant peut choisir de s'adresser à toute la classe ou à de petits groupes.

Stratégie 1 : La ligne du temps

Une ligne du temps est un graphique qui permet aux élèves de comprendre ce qui s'est passé dans un texte et de savoir quand cela s'est passé. L'information est présentée sous une forme linéaire. Les événements sont déterminés et inscrits dans l'ordre dans lequel ils se sont produits. Cette stratégie fonctionne bien avec différents types d'exposés. En science par exemple, le cycle de vie des animaux ainsi que les éléments d'information relatifs à la croissance d'une plante peuvent être présentés sous cette forme linéaire. Les élèves disent alors tout ce qu'ils savent des grenouilles et des têtards, et l'enseignant note ces éléments d'information. Après la lecture, les élèves et l'enseignant classent les éléments. Vous pouvez utiliser le modèle de ligne du temps qui se trouve à la page 31. Voici un exemple :

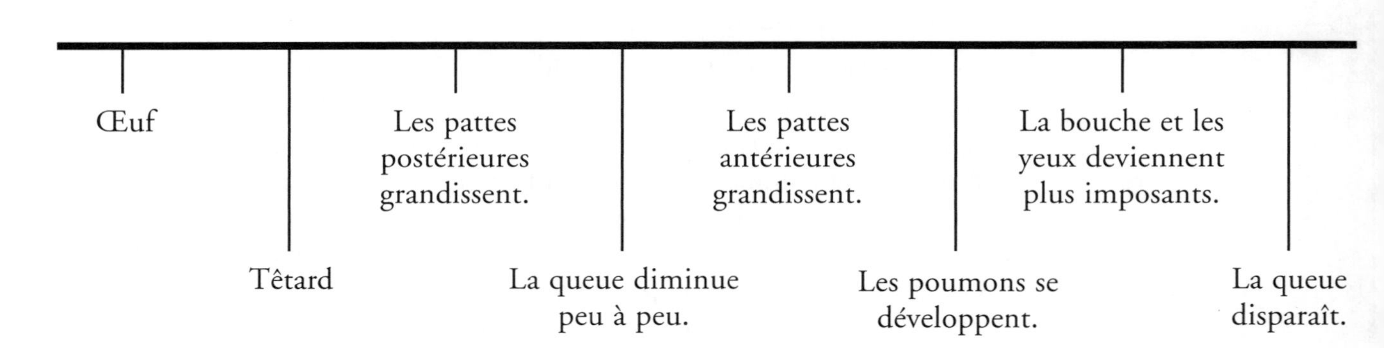

Stratégie 2 : Le tableau de données

Un tableau de données est un organisateur graphique idéal pour effectuer des comparaisons entre deux animaux, deux personnes, deux plantes, etc. C'est un tableau simple composé de deux colonnes représentant les éléments que l'on souhaite comparer (par exemple, des animaux) et dans lequel les catégories à comparer sont énumérées verticalement. Admettons que le livre lu porte sur le mode de vie des nomades. Les enfants peuvent se comparer aux nomades. Ils doivent remplir la colonne se rapportant aux nomades avec des éléments d'information trouvés dans le texte. Voici à quoi peut ressembler le tableau :

Nomades		Nous
	Vêtements	
	Travail	
	École	
	Alimentation	
	Maison	

Vous trouverez un modèle de tableau de données à la page 32. L'enseignant peut écrire les catégories et les sujets avant de remettre le tableau aux élèves.

Stratégie 3 : La toile autour du sujet

Les toiles sont des outils merveilleux qui peuvent servir à enseigner plusieurs modes de compréhension. Elles sont souvent utilisées avec les élèves parce qu'elles sont une des façons les plus simples de présenter des éléments d'information. L'enseignant aide les élèves à trouver l'idée principale du texte qui est ensuite notée dans l'ovale central. Puis, les élèves écrivent les éléments d'information importants dans les ovales plus petits qui entourent l'idée principale. Cette toile permet aux élèves de résumer l'information importante. Ensuite, ils peuvent la paraphraser en écrivant au sujet de la toile et en faisant des dessins. Vous trouverez une toile vierge à la page 33.

Stratégie 4 : Le plan de l'histoire

Les élèves utilisent souvent des plans pour s'aider à se rappeler les personnages et les événements importants des livres de fiction. Ils peuvent également utiliser des plans pour organiser les éléments d'information provenant de textes informatifs. Il existe plusieurs façons d'utiliser un plan. Avant d'utiliser la feuille de travail de la page 34, expliquez aux élèves ce que sont les plans informatifs de la manière suivante : Remettez une grande feuille de papier blanc aux élèves. Les élèves peuvent réaliser cette activité en groupe de lecture dirigée, en classe, avec un partenaire ou individuellement. Demandez aux élèves de lire un petit passage d'un texte informatif. Ensuite, invitez-les à écrire le sujet en haut de leur feuille. Puis, discutez des faits les plus importants du texte. Les élèves illustrent ces faits à l'aide de dessins et décrivent chacun à l'aide d'une phrase. Finalement, ils se servent de leur plan pour paraphraser leur lecture à un camarade de classe. Quand les élèves ont répété cette activité plusieurs fois, demandez-leur de remplir eux-mêmes la feuille de travail après avoir lu un texte informatif.

Stratégie 5 : Les cartes récapitulatives

L'utilisation de cartes récapitulatives pour noter et organiser les éléments d'information importants est une introduction à la rédaction de paragraphes qui convient bien aux jeunes élèves. Avant de lire un texte, l'enseignant apprend aux élèves à « aller à la chasse aux détails ». Quand ils entendent des éléments d'information importants, ils font un signe à leur enseignant en levant le pouce. L'enseignant s'arrête alors pour noter en quelques mots l'information importante sur une carte. Les cartes sont placées dans un tableau au fur et à mesure que les éléments d'information apparaissent. Les premières fois que les élèves participent à cette activité, ils ont tendance à croire que tous les éléments d'information sont importants. L'enseignant ne remet pas leurs suggestions en question à ce stade. Il écrit absolument tout. Quand le livre est lu, l'enseignant lit les éléments d'information recueillis sur les cartes. Enseignant et élèves trient ensuite les cartes. Un premier tri consiste à séparer les détails importants des détails de moindre importance. Ensuite, les détails importants sont subdivisés en catégories (alimentation, habitat, etc.) ou d'après un ordre logique. Une fois bien classées, les cartes sont lues comme un résumé. Les élèves peuvent faire leurs propres cartes, les découper et les coller dans l'ordre sur une autre feuille au cours d'une séance de lecture dirigée. Les cartes doivent comprendre des illustrations. Vous trouverez un modèle de cartes récapitulatives vierge à la page 35.

Stratégie 6 : Les comparaisons

Les enseignants utilisent plusieurs types d'organisateurs graphiques pour comparer les éléments d'information des exposés. La feuille de travail de la page 36, « Compare et résume », est un diagramme comparatif simple. Les élèves écrivent d'abord les deux éléments qu'ils veulent comparer, puis ils dressent une liste de leurs points communs. Les élèves peuvent par exemple écrire « grenouilles » en haut d'une colonne et « têtards » en haut de l'autre colonne. Ensuite, ils parcourent leur livre et écrivent les détails communs aux grenouilles et aux têtards. Une fois qu'ils ont donné tous les exemples du texte, ils relisent les éléments d'information et résument en une phrase ce que les grenouilles et les têtards ont en commun.

Stratégie 7 : Compare et trouve les différences

Le tableau « Compare et trouve les différences » de la page 37 est un diagramme simple qui peut être utilisé pour enseigner aux élèves comment comparer deux choses et constater ce qui les différencie. En haut de la page, les élèves écrivent les deux éléments qu'ils veulent comparer. Ensuite, ils cherchent dans le texte des détails qui expliquent les similitudes entre ces deux éléments et les écrivent dans la première colonne. Dans la deuxième colonne, ils écrivent les différences. Si l'on reprend l'exemple précédent, les élèves notent « grenouilles » et « têtards » comme sujet. Ils parcourent le texte pour trouver des points communs qu'ils notent dans la colonne « Points communs ». Ensuite, ils cherchent des différences et les notent dans la colonne « Différences ». Ils relisent alors les éléments d'information qu'ils ont notés et résument, en une ou deux phrases, les points communs et les différences entre les grenouilles et les têtards.

Stratégie 8 : Le diagramme de Venn et le résumé

Les élèves peuvent utiliser des diagrammes de Venn pour comparer deux choses qui présentent quelques points communs et quelques différences. Une fois que les éléments d'information sont écrits dans les cercles, les élèves peuvent les utiliser pour procéder à la rédaction d'un petit résumé. Vous pouvez utiliser le diagramme de Venn vierge de la page 38 pour cette activité.

Exemple :

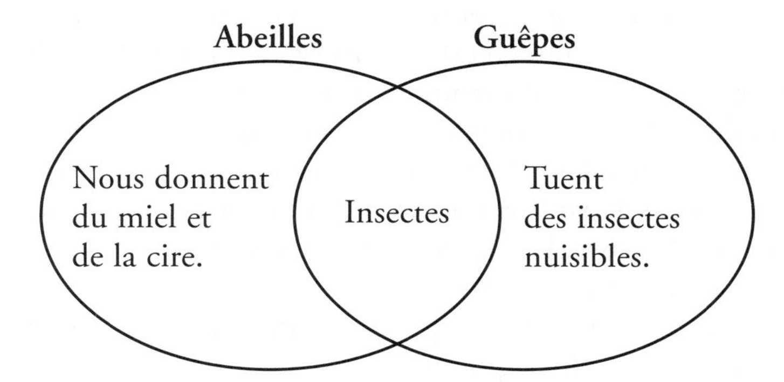

Résumé : Les abeilles et les guêpes sont des insectes qui rendent service aux êtres humains.

Stratégie 9 : L'analyse des caractéristiques

L'analyse des caractéristiques est une autre manière de comparer plusieurs éléments d'un concept et de constater les différences qui existent entre eux. Commencez par choisir une catégorie qui a deux ou trois éléments en commun. Écrivez quelques éléments de cette catégorie sur le côté gauche du tableau. En haut, écrivez les caractéristiques que vous utiliserez pour décrire les éléments notés à gauche. Remplissez le tableau ensemble, en indiquant, pour chaque élément, s'il possède chaque caractéristique. Utilisez un plus (+) quand c'est le cas et un moins (−) quand ce n'est pas le cas. Finalement, observez le diagramme tous ensemble et discutez des résultats. L'enseignant peut poser des questions aux élèves. À la fin, résumez vos découvertes tous ensemble. Si vous constatez que les élèves sont capables de faire un résumé à partir d'un organisateur graphique, vous pouvez leur demander de faire cet exercice individuellement.

Exemple :

Catégorie : Les animaux

	colonne vertébrale	pond des œufs	à sang chaud	à sang froid
poissons	+	+	−	+
oiseaux	+	+	+	−
mammifères	+	−	+	−
reptiles	+	+	−	+

Résumé : Tous les types d'animaux que nous avons comparés dans notre tableau ont une colonne vertébrale et la plupart d'entre eux pondent des œufs.

Vous pouvez utiliser le tableau d'analyse des caractéristiques de la page 39 pour faire des exercices supplémentaires. L'enseignant doit noter les éléments et les caractéristiques au préalable.

Stratégie 10 : Les catégories

Les exposés contiennent beaucoup d'éléments d'information. Il est parfois difficile pour les élèves d'intégrer différents types d'information trouvés dans un même texte. Les livres informatifs ont aussi souvent plus d'une idée principale. Un tableau simple reprenant plusieurs catégories permet d'organiser plus facilement les éléments d'information relatifs à divers aspects d'un sujet. Avant le cours, l'enseignant peut écrire sur du papier grand format un court paragraphe qu'il lira avec les élèves. Il peut ensuite le relire en construisant un tableau à remplir. Ce tableau doit être construit pendant le cours (et non préparé à l'avance comme le paragraphe) afin que les élèves puissent être conscients de la réflexion qui accompagne la lecture de l'enseignant. Admettons que le petit paragraphe traite du ciel la nuit. Voici à quoi pourrait ressembler le tableau :

Les étoiles	La lune	Les planètes	Les comètes
scintillent certaines sont très brillantes	brille le plus change de forme	brillent	traversent le ciel ont une queue

Une fois que la lecture est terminée et que le tableau est rempli, l'enseignant et les élèves revoient le tableau et discutent des affirmations qui vont ensemble. Vous trouverez un tableau des catégories vierge à la page 40. L'enseignant peut noter les catégories pour les élèves avant de photocopier le tableau.

Stratégie 11 : La lecture en dyades

Cette activité demande une préparation attentive de la part de l'enseignant. Tout d'abord, ce dernier doit réfléchir aux équipes qu'il va former. Un élève qui éprouve des difficultés en lecture doit être jumelé avec un élève capable de l'aider sans dire simplement tous les mots à sa place. L'enseignant doit ainsi jumeler des élèves qui travaillent bien ensemble. Cela demandera peut-être quelques ajustements avant de fonctionner correctement, mais une fois les équipes établies, elles le seront pour un certain temps. L'enseignant doit ensuite s'assurer que les deux partenaires connaissent la manière de procéder :

par exemple, lire une page à tour de rôle. De plus, l'enseignant doit trouver un objectif de lecture. Pour apprendre aux élèves à se concentrer sur des éléments d'information importants et à faire des résumés, l'enseignant doit poser une question avant que les équipes ne commencent l'exercice. Elles ont alors un objectif de lecture et prennent des notes en lisant. Chaque élève écrit un fait important. Quand la lecture est terminée, les élèves échangent leur élément d'information. Chaque équipe peut ensuite écrire un petit résumé de ce qu'elle a appris et l'illustrer à l'aide d'un dessin. Ces travaux peuvent être rassemblés dans un livre collectif. Vous trouverez un organisateur vierge à la page 41.

Stratégie 12 : Est-ce important ?

Pendant que les élèves lisent, demandez-leur de dresser deux listes : une liste des faits importants et une liste des faits qui ne le sont pas. Une fois leurs listes terminées, dites-leur d'encercler un fait dans chaque liste. Au bas de la page, ils doivent expliquer pourquoi ils ont placé ce fait dans cette liste.

Stratégie 13 : Venons-en aux faits !

Une fois habitués à distinguer les faits importants de ceux qui ne le sont pas en les écrivant, les élèves commenceront à maîtriser ce processus en lisant le texte. Ils n'auront plus besoin d'écrire les faits qui ne sont pas importants, car ils seront capables de trouver uniquement les détails importants en parcourant le texte. Donnez-leur la feuille de travail de la page 42 pour écrire les faits importants dans des boîtes séparées. Une fois qu'ils ont rempli toutes les boîtes, ils les découpent et les collent ensemble. Ils peuvent terminer l'activité en lisant leur résumé à un camarade de classe ou à un parent qui assiste au cours.

Stratégie 14 : Raconte-le avec tes mots !

La feuille de travail de la page 43 enseigne aux élèves les cinq questions essentielles pour rédiger le résumé d'un texte : *Qui ?, Quoi ?, Où ?, Quand ?* et *Pourquoi ?* Pendant la phase d'apprentissage, il est important de donner aux élèves des éléments précis à observer. Vous pourrez vous limiter aux principes une fois qu'ils maîtriseront suffisamment cette compétence.

Stratégie 15 : Dis-le avec tes mots et résume !

Au cours des séances de lecture dirigée, demandez aux élèves de lire de courts extraits choisis et d'y déceler les éléments d'information importants et les détails en utilisant la feuille de travail de la page 44, « Dis-le avec tes mots ! ». Tout en lisant l'histoire, ils cherchent les détails et les écrivent avec leurs propres mots. Ensuite, ils écrivent l'idée principale avec leurs propres mots. Demandez-leur de s'entraîner à lire leur travail et de le présenter au groupe comme un résumé du livre. Demandez à chaque groupe de lecture dirigée de réaliser une page tous ensemble. Présenter un résumé oral à la classe peut être une variante de cette activité. Vous pouvez également utiliser la feuille de travail de la page 45, « Résume ! ».

Stratégie 16 : Les affiches informatives

Les élèves adorent reprendre les éléments d'information d'un livre informatif sur une affiche. L'affiche résume les éléments d'information importants contenus dans le livre. Les élèves peuvent choisir de travailler individuellement ou en dyades. L'enseignant doit montrer à plusieurs reprises comment lire le livre et comment l'utiliser pour remplir des affiches-résumés avant que les élèves arrivent à le faire par eux-mêmes.

Stratégie 17 : Les signets

Les signets permettent aux élèves de rester concentrés sur l'objectif de lecture pendant qu'ils travaillent un texte lors d'une séance de lecture dirigée. Ils peuvent utiliser les signets pour écrire ce qu'ils pensent en lisant. Vous pouvez fabriquer des signets vierges à partir d'une feuille de papier. D'un côté du signet, vous pouvez écrire un message pour orienter l'élève vers les éléments d'information à noter. Voici deux exemples de messages-guides que vous pouvez noter sur des signets lors de la lecture d'un exposé :

- C'est l'idée principale.
- C'est un détail important.

Pendant que les élèves lisent le livre, ils répondent au message-guide au verso du signet et placent ce dernier à l'endroit approprié dans le livre. Ils peuvent ensuite se servir de leurs signets après la lecture pour remplir un organisateur graphique et faire un résumé oral lors d'une discussion en classe. Il est recommandé de limiter le nombre de signets.

La ligne du temps

Stratégie 1

Consignes : Écris les événements dans l'ordre dans lequel ils se sont produits. Dans les boîtes numérotées, fais un dessin de chaque événement.

Titre : ______________________________

1.	2.	3.	4.	5.	6.

Le tableau de données

Stratégie **2**

Consignes : Utilise le tableau pour comparer les deux éléments.

Titre du livre : ______________________________

La toile autour du sujet

Stratégie 3

Consignes : Note le sujet dans l'ovale central. Dans les autres ovales, écris les éléments d'information importants concernant le sujet.

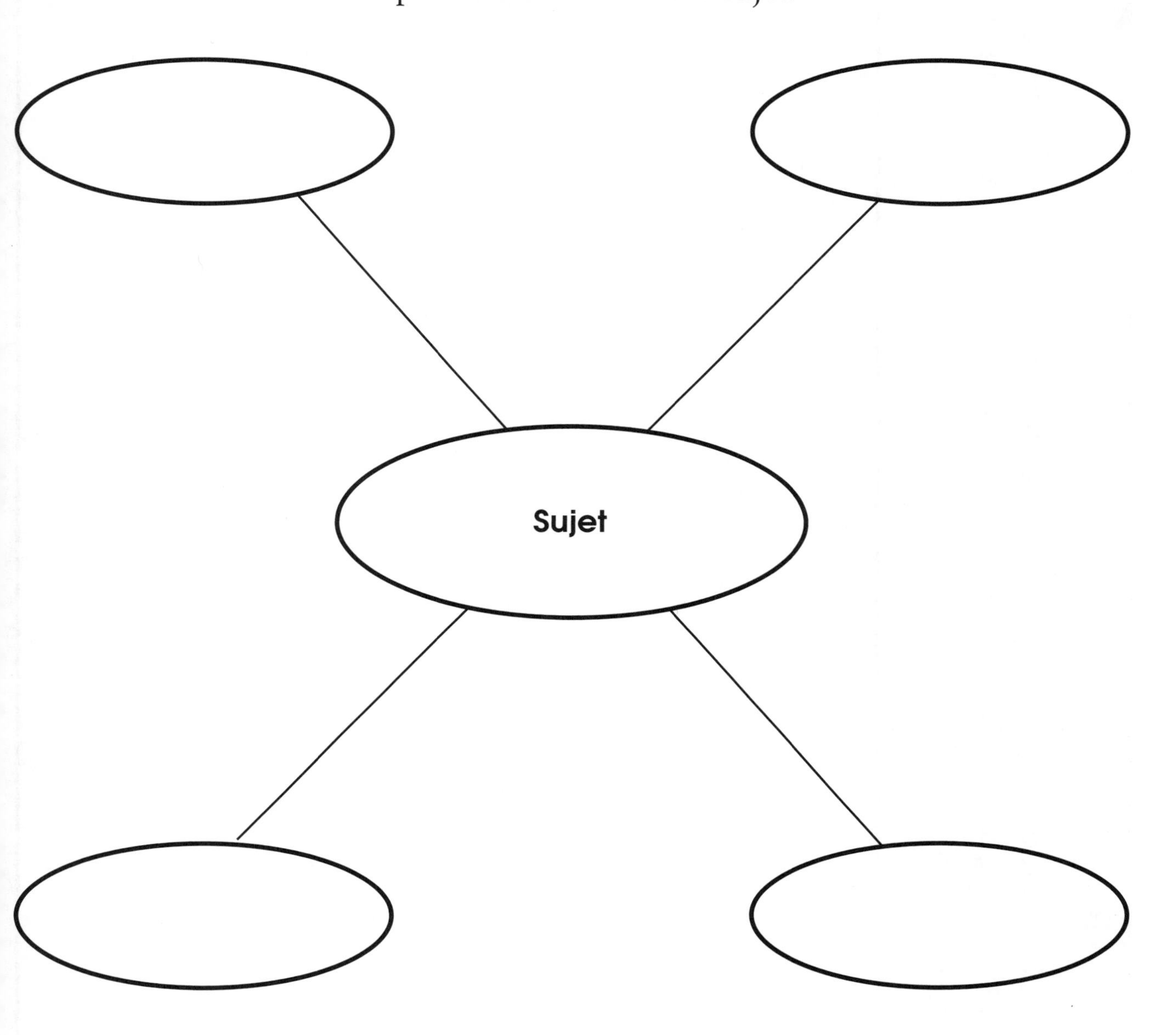

Consignes : Maintenant, rédige un petit résumé à partir des éléments d'information contenus dans les petits ovales. Fais un dessin.

J'ai appris beaucoup au sujet de ______________________________

J'ai appris que ______________________________

J'ai également appris que ______________________________

Le plan informatif

Stratégie **4**

Consignes : Construis un plan du texte informatif que tu viens de lire en dessinant les faits les plus importants de l'histoire. Décris chaque dessin en une seule phrase. Réfère-toi ensuite à ce plan pour raconter l'histoire à un camarade avec tes mots.

Sujet : ______________________________

Les cartes récapitulatives

Stratégie 5

Consignes :

- Sur chaque carte, écris un fait important et fais un dessin au sujet de ton livre.
- Découpe les cartes.
- Trie les cartes et classe-les de façon logique.
- Colle les cartes sur une autre feuille pour résumer ton livre.

Compare et résume

Stratégie 6

Consignes : Écris les deux sujets que tu veux comparer dans les deux boîtes. Ensuite, note sous chaque sujet les détails qui montrent qu'ils sont semblables. Relis tes éléments d'information et écris un résumé d'une phrase dans la boîte du dessous.

Sujet : ______________________	Sujet : ______________________
______________________	______________________
______________________	______________________
______________________	______________________
______________________	______________________
______________________	______________________
______________________	______________________
______________________	______________________
______________________	______________________
______________________	______________________
______________________	______________________
______________________	______________________
______________________	______________________
______________________	______________________

Résumé : ____

____

____

Compare et trouve les différences **Stratégie 7**

Consignes : Écris le sujet et les deux choses que tu veux comparer. Cherche dans le texte les détails qui indiquent ce que les deux choses ont en commun et note-les dans la colonne « Points communs ». Ensuite, cherche dans le texte ce que les deux choses ont de différent et note ces renseignements dans la colonne « Différences ». Relis tes éléments d'information et écris un résumé d'une ou deux phrases dans la boîte du bas.

Sujet : ______________________________

Points communs	Différences
______________	______________
______________	______________
______________	______________
______________	______________
______________	______________
______________	______________
______________	______________
______________	______________
______________	______________
______________	______________

Résumé : ______________________________

____

____

Le diagramme de Venn et le résumé

Stratégie **8**

Consignes : Remplis les cercles à l'aide des éléments d'information trouvés sur chacun des sujets que tu veux comparer. Ensuite, résume ce que tu as appris.

Sujet : ______________________ Sujet : ______________________

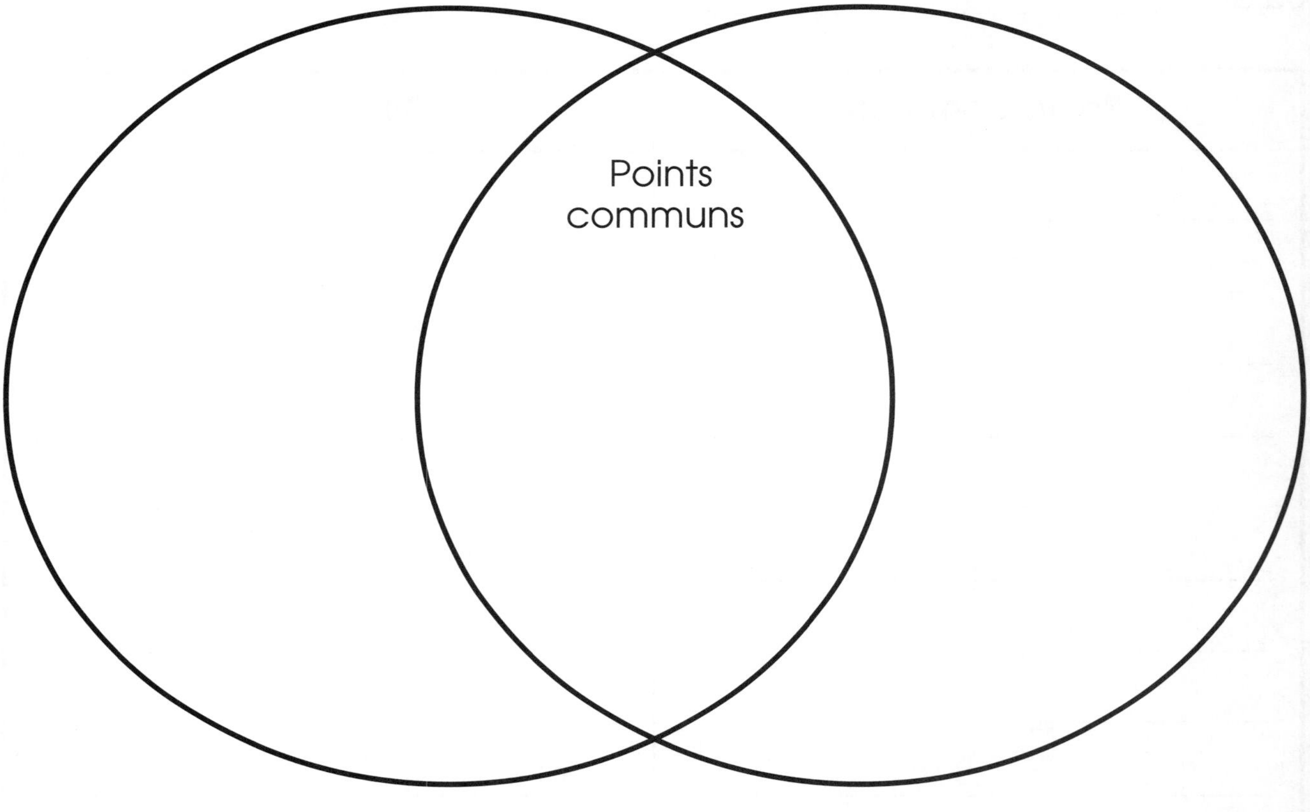

Points communs

Résumé :

J'ai appris beaucoup au sujet de ______________________

J'ai appris ______________________

J'ai également appris que ______________________

La chose la plus intéressante que j'aie apprise est ______________________

____

Le tableau d'analyse des caractéristiques

Stratégie 9

Consignes : Inscris un plus (+) ou un moins (−) dans chaque case. Le signe + indique que l'élément possède la caractéristique et le signe − indique que l'élément ne possède pas la caractéristique.

Catégorie : ____________________

Résumé : ____________________

____

Le tableau des catégories

Stratégie **10**

Consigne : Remplis le tableau à l'aide des éléments d'information trouvés pour chaque idée principale.

Sujet : ______________________________

La lecture en dyades

Stratégie **11**

Consignes : Écris au moins une phrase au sujet de ce que tu as lu. Demande à ton partenaire d'écrire au moins une phrase également. Ensuite, faites chacun un dessin qui représente ce que vous avez écrit.

Titre du livre : ______________________________

Résumé 1 : ______________________________

____

____

____

Résumé 2 : ______________________________

____

____

____

Dessin 1 :	**Dessin 2 :**

Stratégie 13

Venons-en aux faits !

Consignes :

- Écris un fait important dans chaque case. Ces faits deviendront un résumé.
- Découpe les cases et colle-les dans l'ordre sur une feuille de papier de bricolage.
- Lis ton résumé à un camarade de classe.

Sujet : ____________		

Raconte-le avec tes mots !

Stratégie 14

Consigne : Utilise les cinq questions essentielles pour faire un résumé.

Titre : ____________________

Qui ? : ____________________

Quoi ? : ____________________

Où ? : ____________________

Quand ? : ____________________

Pourquoi ? : ____________________

Sers-toi des éléments d'information que tu as trouvés pour rédiger un petit résumé avec tes mots.

____

____

____

____

____

____

____

____

____

____

____

____

____

____

Dis-le avec tes mots!

Stratégie **15**

Consignes : Lis un livre informatif. Explique le sujet de ton livre à un camarade en utilisant tes mots. Écris le titre du livre. Écris en trois phrases quels sont, selon toi, les trois faits les plus importants que tu as appris dans ce livre. Illustre tes idées à l'aide d'un dessin.

Titre : ______________________________

1. ______________________________

____

____

2. ______________________________

____

____

3. ______________________________

____

____

Résume !

Consignes : Lis ce qui est écrit dans chaque case et écris les éléments d'information demandés. Mis à part le titre, assure-toi d'écrire les choses avec tes mots. Quand tu as terminé, entraîne-toi à lire ce que tu as écrit afin de le partager avec tes camarades.

Écris le titre : ____________	Écris l'idée principale :	Écris un fait important :
Écris un fait important :	Écris un fait important :	Écris un fait important :

CHAPITRE 3

L'enrichissement du vocabulaire

Au moment où ils entrent à l'école, les élèves possèdent un vocabulaire essentiellement acquis par l'écoute. Le vocabulaire qu'ils utilisent pour s'exprimer oralement et le vocabulaire qu'ils comprennent (vocabulaire passif) sont généralement beaucoup plus étendus que le vocabulaire qu'ils utilisent pour lire et écrire. Dans les premières années du primaire, les élèves enrichissent rapidement leur vocabulaire, la lecture et l'écriture leur apportant constamment des mots nouveaux. De nombreux mots rencontrés aux cours d'univers social[1] et de sciences, et dans des textes informatifs leur sont par ailleurs inconnus. Si les élèves ignorent la signification de nombreux termes dans un exposé, une grande partie de son contenu leur échappera.

L'enrichissement du vocabulaire par une présentation et un enseignement direct des nouveaux termes permet aux élèves de comprendre la signification des mots et de devenir des lecteurs accomplis. Quand l'enseignant présente des mots nouveaux, il doit les utiliser et il doit inciter les élèves à s'en servir dans leurs lectures, leurs travaux écrits et leurs conversations. Il est important d'utiliser le vocabulaire nouvellement acquis. En répétant ces nouveaux mots, les élèves s'habituent et se familiarisent avec ceux-ci. Ils doivent ainsi utiliser les nouveaux mots de façon active et ne pas se limiter à les entendre et à connaître leur signification.

1. Ce cours est parfois nommé « études sociales ».

Il existe plusieurs façons d'enrichir son vocabulaire. L'enseignant doit faire appel à plusieurs stratégies pour rendre l'acquisition de nouveau vocabulaire intéressante et stimulante pour les élèves. Grâce à l'intervention de l'enseignant, les élèves peuvent enrichir leur vocabulaire, améliorer leur compréhension et devenir de meilleurs lecteurs.

Stratégie 1 : Le dictionnaire illustré

Les illustrations servent souvent d'indices contextuels pour déterminer la signification d'un mot. Quand l'enseignant relit un texte à voix haute pour la deuxième fois, les élèves nomment les mots qu'ils ne connaissent pas. L'enseignant écrit ces mots au tableau. Les élèves retournent au texte et regardent les images qui se trouvent sur la même page que le mot. En se servant de ces indices, les élèves réalisent que les mots sont associés aux illustrations qui les accompagnent. Il est plus facile de comprendre la signification d'un mot dans son contexte et avec les images, que de l'apprendre simplement dans une liste de mots. Vous pouvez utiliser la feuille de travail de la page 54 pour construire un dictionnaire illustré.

Stratégie 2 : La toile de mots

Une toile de mots est une aide visuelle permettant de mieux comprendre de nouveaux éléments d'information. Les toiles peuvent être utilisées après la lecture pour définir de nouveaux mots et pour en vérifier la compréhension. Le mot est écrit dans un ovale au centre de la feuille. Il est relié à trois autres ovales portant les titres suivants : « Une phrase du livre », « La définition du dictionnaire », « Une illustration ». Suivant le niveau de la classe, vous pouvez ajouter un quatrième ovale portant le titre « Ma propre phrase avec le mot ». Vous pouvez utiliser la toile vierge de la page 55 pour cette activité.

Stratégie 3 : Les mots composés

En analysant un livre, les élèves peuvent y chercher des mots composés. Vous pouvez leur montrer comment procéder lors d'une séance de lecture dirigée. Il convient de noter les mots composés en entier, puis de les décomposer. Tous les mots doivent être illustrés par un dessin. Vous pouvez utiliser la feuille de travail de la page 56 pour cette activité.

Stratégie 4 : Le détective

Prenez les pages 57 et 58. La feuille de travail intitulée « Le détective » propose aux élèves de repérer différents types de mots, de les indiquer dans la première colonne et d'en proposer une définition en se basant sur le contexte ou sur ce qu'ils savent de la structure des mots. Dans la case supérieure gauche, l'enseignant stipule le type de mot qu'il souhaite que les élèves cherchent au cours de leur lecture. Sur la feuille de travail intitulée « Joue au détective ! » on demande aux élèves de rechercher la définition de leurs mots de vocabulaire au dictionnaire, puis de démontrer qu'ils en ont bien compris le sens en les utilisant dans une phrase.

Stratégie 5 : Le jeu de classification

Les élèves travaillent en petits groupes pour cette activité. Chaque groupe reçoit plusieurs cartes mentionnant des mots et des images. Les élèves doivent trier les cartes suivant des catégories données par l'enseignant. Par exemple, les jeunes élèves étudient souvent les cinq sens au cours de sciences. Vous pouvez leur donner les mots *amer, doux, fort, sucré, aigre, dur, tranquille* et *salé*, tous ces mots étant accompagnés d'un dessin. Les catégories sont : le goût, l'ouïe et le toucher. Les élèves trient les cartes en différentes catégories. Lorsqu'ils ont terminé, ils doivent être capables de justifier leurs décisions. Vous pouvez utiliser la feuille de travail intitulée « Forme des catégories » à la page 59 pour ce jeu. L'enseignant peut écrire les catégories et les mots dans la banque de mots avant de photocopier les feuilles et de les remettre aux élèves ; les élèves peuvent aussi les écrire eux-mêmes.

Voici une variante de ce jeu. Des catégories sont attribuées aux élèves qui se regroupent pour réfléchir aux mots à inclure dans chaque catégorie. Il convient de commencer à jouer à ce jeu tous ensemble. Une fois que les élèves le maîtrisent bien, ils peuvent y jouer en plus petits groupes lors d'activités dans les centres de littératie. Admettons que la classe a lu un livre au sujet de l'alimentation pendant qu'elle étudie la nutrition et la pyramide de nourriture. Les catégories peuvent être les desserts, les fruits, les produits laitiers et les céréales.

Stratégie 6 : La bande dessinée

Demandez aux élèves d'inventer une bande dessinée avec autant de mots nouveaux que possible. Vous pouvez utiliser la feuille de travail de la page 60.

Stratégie 7 : Les grilles de mots

Les élèves peuvent utiliser des grilles pour enrichir leur vocabulaire : ils peuvent rechercher des mots ou les déchiffrer. La grille doit être accompagnée d'une banque de mots. Vous trouverez un modèle de grille à la page 61.

Stratégie 8 : Utiliser un dictionnaire

Les élèves de première année aiment se servir d'un dictionnaire mais, bien souvent, ils ne savent pas l'utiliser correctement. Il convient d'expliquer aux élèves que les mots sont classés par ordre alphabétique et que des mots de référence se trouvent en haut des pages afin de faciliter les recherches. Ils doivent également savoir qu'un mot peut comporter plusieurs sens ou définitions. Ce concept peut sembler difficile à comprendre aux jeunes élèves et l'enseignant doit donc adopter des mots qui peuvent être rattachés à leurs connaissances de base. Présentez un transparent de la page du dictionnaire sur le rétroprojecteur et cherchez tous ensemble la définition correcte de chaque mot. Les élèves peuvent également utiliser le dictionnaire de façon autonome pour chercher des mots de vocabulaire, noter des définitions et les illustrer à l'aide de dessins. Vous pouvez utiliser les feuilles de travail « Qu'est-ce que ça veut dire ? » et « Je sais ce que ça veut dire ! » aux pages 62 et 63.

Stratégie 9 : Concentre-toi !

Tous les jeux de mémoire ou de concentration amusent les élèves. Écrivez deux séries de mots sur des cartes de jeux et demandez aux élèves de trouver les paires correspondantes. Vous pouvez également écrire le mot sur une carte et sa définition sur une autre carte et demander aux élèves d'associer les cartes correspondantes. Il ne doit pas y avoir plus de 12 cartes par jeu. Expliquez aux élèves comment placer les cartes en rangées, afin qu'ils puissent se souvenir de l'endroit où se trouvent les cartes pour former des paires. Vous trouverez des cartes vierges à la page 64.

Stratégie 10 : Le texte à trous

Les phrases et les textes à trous sont un moyen idéal pour apprendre aux élèves à faire des prédictions sur des mots qu'ils ne connaissent pas. Pour les phrases à trous, l'enseignant choisit les mots à apprendre. Chaque mot est écrit sur une carte et est, si possible, accompagné d'un dessin. Toutes les cartes sont lues et les élèves essaient de donner une définition pour chaque mot. Les définitions sont écrites au tableau et lues à voix haute. En écrivant et en lisant les définitions des mots, les élèves se souviennent mieux de leur signification. Sur des bandelettes, l'enseignant écrit des phrases incluant les mots des cartes, mais en remplaçant les mots en question par un filet. Les élèves doivent se référer au contexte pour essayer de remettre chaque mot à sa place.

Pour les textes à trous, choisissez un passage d'un texte informatif ou d'un manuel scolaire que les élèves ne connaissent pas. Écrivez le texte sur du papier grand format ou sur une feuille de travail à remettre aux élèves. Laissez tomber volontairement des mots clés et demandez à la classe de remplir les trous avec des mots qui donneraient un sens au texte. Beaucoup d'élèves trouvent cette activité ardue au début et il vaut mieux la faire oralement avec toute la classe : les élèves émettent leurs idées à voix haute et peuvent également entendre celles de leurs camarades.

Stratégie 11 : Le mot caché

L'enseignant écrit une phrase avec un mot caché au tableau. Les élèves devinent quel mot il faudrait ajouter pour que la phrase ait un sens. L'enseignant dresse une liste des mots proposés par les élèves. Ensuite, il dévoile la première lettre du mot caché. Les élèves peuvent éliminer les mots qui ne conviennent plus. Ils doivent alors expliquer pourquoi les mots ne conviennent plus. Ils peuvent également proposer de nouveaux mots qui pourraient correspondre au mot caché. Si les élèves ne trouvent pas le mot caché, l'enseignant leur fournit des indices. Finalement, il dévoile le mot caché. Cette activité peut être étendue à un paragraphe choisi dans un texte et écrit sur du papier grand format. On peut recommencer l'activité en cachant plusieurs mots.

Stratégie 12 : Les cartes illustrées

L'enseignant rassemble la classe devant le tableau pour discuter. Il présente les nouveaux mots de vocabulaire et tout le groupe discute de leur signification. Ensuite, chaque élève choisit un nouveau mot. Les élèves retournent à leur place et cherchent le mot qu'ils ont choisi dans leurs livres. Par exemple, au cours d'une leçon de géographie, les élèves apprennent les différents mots qui décrivent les étendues d'eau (une rivière, un océan, un lac) et trouvent la page où est inscrit le mot. Ils font un dessin du mot sur une fiche. Au dos de la fiche, ils écrivent le mot et sa définition.

Les élèves travaillent en petits groupes. Un élève montre le dessin qui se trouve sur sa carte. Les autres élèves essaient de deviner de quel mot il s'agit. Une liste des réponses est écrite au tableau. Tous les élèves notent leurs suppositions sur des tableaux blancs individuels. Une fois que tout le monde a donné sa réponse, l'élève qui a montré la fiche lit le mot et la définition qui se trouve au dos. Les autres élèves du groupe montrent chacun leur tour leur image.

Stratégie 13 : Utiliser des revues pour les enfants

Des revues pour les enfants telles que *Youpi* ou *Les petits débrouillards* sont d'excellentes sources de textes informatifs traitant de sujets à la fois actuels et intéressants. Lors de séances en petits groupes ou de lecture dirigée, l'enseignant peut discuter de nouveaux mots ou de mots inhabituels. Par convention, ces mots sont souvent écrits en caractères gras. Les élèves peuvent écrire et illustrer ces mots à l'aide de dessins dans leur cahier d'exercices individuel ou les rassembler pour créer un dictionnaire illustré.

Stratégie 14 : Utiliser un glossaire

Un glossaire est une excellente ressource pour les élèves qui doivent chercher des définitions. On en trouve à la fin de la plupart des textes informatifs. Les glossaires sont plus faciles à utiliser que les dictionnaires, parce que leur contenu se limite aux termes techniques utilisés dans le texte. Quand il présente un nouveau sujet, l'enseignant trouve les mots nouveaux et importants. Après en avoir dressé une liste au tableau, il renvoie les élèves vers le glossaire. Les élèves cherchent les mots, lisent la définition à voix haute et l'écrivent dans un tableau. Ils peuvent illustrer les mots dans le tableau afin de s'y référer ultérieurement. Plus tard dans l'année, l'enseignant écrit les mots de vocabulaire et demande aux élèves de former des groupes et de trouver les mots. Chaque élève doit trouver un mot, donner sa définition et l'illustrer à l'aide d'un dessin. Tous les membres du groupe doivent montrer leurs dessins aux autres pour que chacun apprenne tous les mots.

Stratégie 15 : Résumer

Après avoir lu un chapitre d'un texte ou d'un livre informatif, les élèves peuvent résumer ce chapitre ou ce livre dans leur journal de lecture. Pour ce faire, demandez aux élèves d'utiliser un certain nombre de mots de vocabulaire et de les souligner dans leur résumé. Demandez aux élèves d'échanger leurs résumés entre eux ou de le lire devant la classe.

Stratégie 16 : Les analogies

Les analogies comparent les relations entre les mots ou les groupes de mots. L'enseignant du niveau primaire peut présenter ce concept de façon très simple en utilisant des images ou des objets réels. Au cours d'une leçon de mathématiques, par exemple, l'enseignant peut montrer une règle, un ruban à mesurer et un thermomètre, puis demander ce que tous ces objets ont en commun (ils servent à mesurer). Les élèves peuvent proposer d'autres articles à inclure dans ce groupe. L'enseignant devra peut-être donner des indices pour aider les élèves à trouver les mots qui correspondent à la catégorie. L'enseignant doit expliquer le processus en réfléchissant à voix haute sur la façon dont il décide de relier les objets.

Stratégie 17 : Constituer son propre glossaire (Vocabulary Self-Collection Strategy – VSS)

Cette stratégie, mise au point par Haggard en 1992, enseigne aux élèves comment choisir les mots les plus importants dans un texte. Cette activité peut être réalisée en petits groupes. Pendant qu'ils lisent un livre, les élèves déterminent les mots qu'ils ne connaissent pas et qu'ils pensent être importants. L'enseignant écrit ces mots au tableau tandis que le groupe propose des définitions. L'enseignant et les élèves cherchent les mots dans le dictionnaire ou dans le glossaire pour vérifier les définitions. Ensuite, les élèves écrivent les mots et les définitions dans leur cahier de vocabulaire et les illustrent à l'aide de dessins. Cette méthode permet aux élèves d'apprendre des mots de façon autonome.

Stratégie 18 : Choisir un mot

Choisissez des mots de vocabulaire dans un exposé lu par les élèves. Par exemple, utilisez les mots de vocabulaire d'un chapitre ou d'une leçon de leur manuel d'univers social. Écrivez les mots sur de petites bandelettes de papier. Vous devrez peut-être écrire certains mots plusieurs fois afin d'en avoir assez pour tous les élèves. Placez tous les mots dans un contenant et demandez à chaque élève de piger une bandelette de papier et d'écrire le mot qui s'y trouve dans son cahier d'exercices. Ensuite, demandez aux élèves de lire le chapitre pour trouver la signification du mot qu'ils ont pigé. Une fois qu'ils pensent avoir trouvé, ils écrivent la définition à côté du mot et l'illustrent à l'aide d'un dessin. Observez les élèves afin d'aider ceux qui éprouvent des difficultés à utiliser le contexte pour comprendre le mot. Finalement, demandez aux élèves de se rassembler pour présenter leur définition. Toute la classe a ainsi l'occasion d'entendre tous les mots de vocabulaire et toutes les définitions.

Stratégie 19 : Les banques de mots

Demandez aux élèves de créer leur propre banque de mots. Vous pouvez concevoir un système de banques de mots adapté au niveau de votre classe. Par exemple, une classe d'élèves avancés peut écrire des mots sur des cartes éclair et écrire leur signification au verso. Une classe d'élèves débutants peut écrire les mots sur les cartes éclair et les illustrer à l'aide d'un dessin au verso. Pour leur permettre de former des associations avec les mots, demandez aux élèves de combiner mots et dessins. Divisez vos cartes éclair en quatre sections. Dans la case en haut à gauche, les élèves écrivent le mot de vocabulaire. Dans la case en haut à droite, ils représentent le mot à l'aide d'une illustration ou d'un dessin. Dans la case en bas à gauche, ils écrivent la définition du mot. Dans la dernière case, ils écrivent le ou les mots qu'ils associent personnellement avec le mot de vocabulaire.

Exemple :

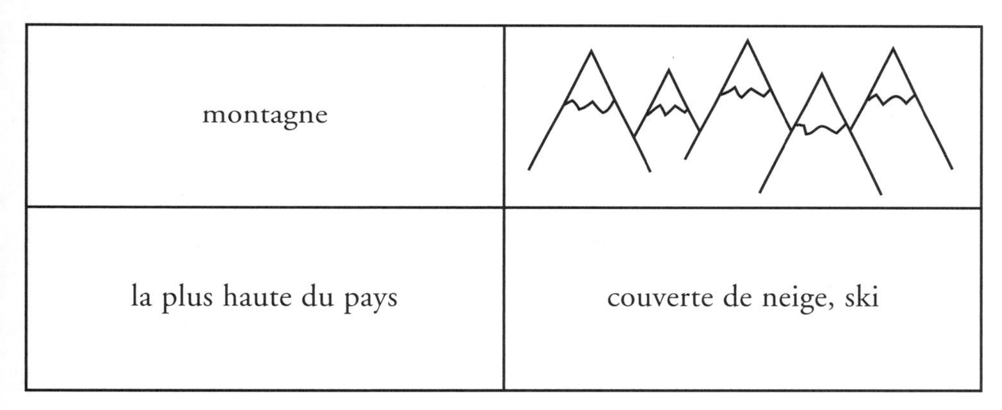

Stratégie 20 : Les significations multiples

Vous pouvez commencer à présenter aux élèves des mots ayant plusieurs significations. Étant donné que ce concept est difficile à saisir pour les élèves, vous devez choisir des activités courtes et des mots que les élèves peuvent rattacher à leurs expériences personnelles. Voici une bonne activité à faire en équipes de deux dans un centre de littératie.

Remettez une liste de phrases aux élèves. Toutes les phrases doivent utiliser le même mot de vocabulaire, mais dans un sens différent. Les équipes cherchent le mot dans le dictionnaire puis écrivent la définition correcte sous la phrase. Voici un exemple avec le mot *attraper*: 1. Je vais **attraper** la balle dans mon gant de baseball. 2. Contrairement à mon frère, je n'ai pas **attrapé** la grippe. 3. Ma sœur et la seule personne de la famille qui a **attrapé** un poisson.

Le dictionnaire illustré

Stratégie 1

Consignes : Écris un mot de vocabulaire sur chaque ligne. Illustre chaque mot à l'aide d'un dessin dans l'espace prévu à cet effet.

Le dictionnaire illustré de ____________	____________	____________
____________	____________	____________

La toile de mots

Stratégie 2

Consignes : Trouve un nouveau mot dans ton livre. Écris-le dans l'ovale du centre. Ensuite, remplis la toile.

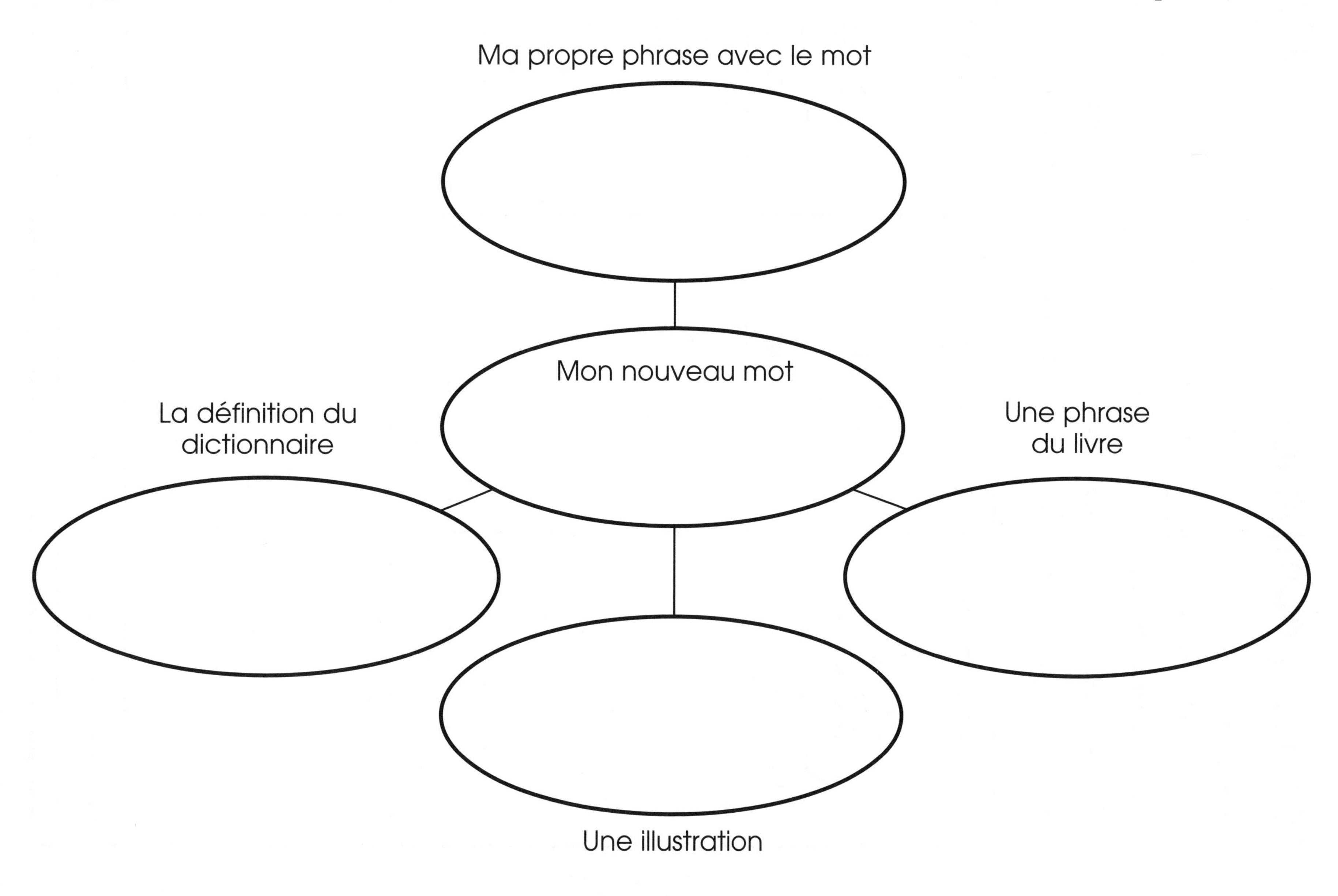

Les mots composés

Stratégie **3**

Consignes :

- Trouve deux mots composés dans ton livre.
- Écris le mot composé.
- Dans les deux cases suivantes, écris les mots qui forment le mot composé.
- Illustre chaque mot à l'aide d'un dessin. Base-toi sur l'exemple.

Mot composé	Mot 1	Mot 2
bateau à voile	voile	bateau

Le détective

Stratégie 4

Consignes : Cherche dans ton livre des mots qui correspondent au titre que ton enseignant t'a donné. Écris ce que tu penses que le mot signifie en le lisant dans ton livre ou en te basant sur ce que tu connais déjà.

	Définition

Joue au détective !

Stratégie 4

Consignes : Choisis un mot de vocabulaire et écris-le sur la ligne. Cherche ce mot dans le dictionnaire. Note la page du dictionnaire où tu l'as trouvé ainsi que les mots de référence de cette page. Recopie la définition du dictionnaire, mot pour mot. Forme une phrase avec le mot et souligne-le.

Mot de vocabulaire : ______________________________

Page du dictionnaire : ______________________________

Mots de référence : ______________________________

Définition : ______________________________

____

____

____

____

Utilise le mot correctement dans une phrase : ______________

____

____

____

____

____

____

____

____

____

Forme des catégories

Stratégie 5

Consignes : Écris les catégories dans les encadrés et classe les mots sous chacune d'elles.

Banque de mots

Stratégie 6

La bande dessinée

Consignes : Invente une bande dessinée. Utilise correctement le plus de mots de vocabulaire possible quand tu composes les textes des bulles. Les bulles ont été dessinées pour toi dans la première case.

La recherche de vocabulaire

Consignes : Dans la grille, cherche et encercle tous les mots qui se trouvent dans la liste.

Liste de mots

1. ______________________________ 4. ______________________________

2. ______________________________ 5. ______________________________

3. ______________________________ 6. ______________________________

Stratégie 8

Qu'est-ce que ça veut dire ?

Consignes : Choisis deux mots de vocabulaire.

- Écris-en un sur chaque ligne.
- Cherche les deux mots dans le dictionnaire.
- Recopie leur définition.
- Écris une phrase en utilisant chaque mot.

Mot	Signification	Phrase
1.		
2.		

Je sais ce que ça veut dire !

Stratégie 8

Consignes :

- Cherche un mot que tu ne connais pas.
- Écris ce que tu penses qu'il signifie sur la ligne « Je devine ».
- Ensuite, cherche le mot dans le dictionnaire. Si tu avais bien deviné, coche la case. Sinon, écris la définition du mot sur la ligne.
- Recommence l'exercice avec un autre mot.

Mot : ____________ Je devine : ____________ ____________ ____________ J'ai bien deviné ! ❑ Maintenant, je sais que le mot signifie ____________ ____________ ____________ ____________ ____________ ____________ ____________ ____________ ____________ ____________	Mot : ____________ Je devine : ____________ ____________ ____________ J'ai bien deviné ! ❑ Maintenant, je sais que le mot signifie ____________ ____________ ____________ ____________ ____________ ____________ ____________ ____________ ____________ ____________

Concentre-toi !

Stratégie 9

Consigne : Trouve les paires.

CHAPITRE 4

Faire des liens avec les connaissances antérieures

Pour enseigner la compréhension aux élèves, les enseignants doivent partir des connaissances antérieures de ces derniers. Les connaissances antérieures sont les éléments d'information ou les expériences que les élèves amènent avec eux à l'école. Des recherches ont montré qu'il y a un rapport entre les connaissances antérieures et la compréhension. En établissant des liens entre ces connaissances et les nouveaux éléments d'information, on améliore la compréhension. Plus les élèves acquièrent d'expérience, plus ils ajoutent d'information à la structure cognitive des savoirs dans leur esprit. Quand on leur présente de nouveaux éléments d'information, les élèves les comparent avec ce qu'ils savent déjà. C'est comme de disposer d'un système de classement et de chercher le bon dossier pour classer les éléments d'information.

Les élèves doivent avoir un objectif de lecture. On peut en trouver un en activant et en développant les connaissances antérieures. Grâce à ces connaissances, les élèves peuvent construire leur compréhension de l'écrit. Les élèves arrivent à l'école avec une certaine quantité de connaissances antérieures qui peuvent être de différents niveaux. Pour certains élèves cependant, elles sont incomplètes ou erronées. L'enseignant doit ainsi évaluer les connaissances antérieures de ses élèves. Pour ce faire, il doit d'abord les activer. Après une évaluation diagnostique, l'enseignant pourra corriger les éléments d'information erronés et améliorer l'apprentissage. Quand l'enseignant demande aux élèves de faire des liens et de donner leur point de vue, le degré d'intérêt des élèves est accru et ils ont plus de chances de réfléchir attentivement.

On peut considérer deux types de connaissances antérieures : les connaissances antérieures d'ordre général et les connaissances antérieures liées au texte ou au sujet. Les connaissances antérieures d'ordre général regroupent l'ensemble des connaissances que les élèves ont acquises à l'école et en dehors de l'école. Ces savoirs se sont construits grâce à la lecture et à l'écriture, des activités qui permettent d'améliorer la compréhension. Les connaissances antérieures liées au texte ou au sujet sont les éléments d'information spécifiques qui sont essentiels à la réalisation d'une expérience précise ; il peut s'agir, par exemple, d'avoir certaines connaissances des ours polaires avant de lire un texte les concernant.

Les textes informatifs ne sont pas structurés comme les textes narratifs. Dans les textes informatifs, l'information est organisée autour des idées principales. Ces textes qui ne suivent généralement pas de modèle sont plus difficiles pour les lecteurs de première année qui n'y sont pas habitués. Les connaissances de base requises pour comprendre ces textes peuvent être acquises lors de mini-leçons et en lisant. Les élèves doivent aussi bâtir leurs connaissances par rapport au vocabulaire et à la façon dont les textes informatifs sont présentés. Holmes et Roser (1987) ont défini cinq méthodes permettant d'évaluer les connaissances antérieures :

1. **Réactiver les connaissances**

   L'enseignant demande aux élèves de lui dire ce qu'ils savent sur un sujet donné : « Que savez-vous au sujet de __________ ? ».

2. **Repérage**

   L'enseignant présente une liste de mots et demande aux élèves quels mots sont liés au livre qu'ils vont lire. L'enseignant écrit les mots *pingouin, iceberg, eau chaude, herbe verte, neige* et *pôle Sud* au tableau et annonce : « Nous allons lire un livre traitant des pingouins. Parmi ces mots, lesquels peut-on associer aux pingouins ? ».

3. **Questions structurées**

   L'enseignant pose aux élèves des questions sur leurs connaissances antérieures : « Que savez-vous sur Pierre Elliot Trudeau ? Quel a été son rôle au sein du Canada ? ».

4. **Associations de mots**

   L'enseignant note une liste de mots et demande aux élèves à quoi ces mots leur font penser. « Quand je dis "feuilles", "tiges" et "graines", de quoi pensez-vous que je parle ? ».

5. **Discussion à bâtons rompus**

   L'enseignant pose des questions ouvertes sur le sujet : « Nous allons lire un texte traitant des volcans. Que connaissez-vous sur ce sujet ? ».

L'objectif de l'enseignant est d'aider l'élève à faire des liens entre ses connaissances antérieures et les nouveaux éléments d'information. Les élèves doivent apprendre à utiliser leurs connaissances antérieures de façon autonome. Au niveau primaire, l'enseignant doit montrer aux élèves plusieurs stratégies permettant de faire ces liens en les modelant. Ces stratégies peuvent être utilisées individuellement ou combinées entre elles. De cette manière, les bases seront établies pour que les élèves activent ensuite leurs connaissances antérieures de façon autonome.

Pour activer leurs connaissances, les élèves peuvent faire trois types de liens entre leurs expériences et les nouveaux éléments d'information :

1. **Des liens entre le texte et eux :** Les élèves comparent et relient les éléments d'information contenus dans le nouveau texte à des expériences vécues dans le passé.
2. **Des liens entre le texte et un autre texte :** Les élèves comparent les éléments d'information contenus dans le nouveau texte et dans d'autres livres lus précédemment.
3. **Des liens entre le texte et le monde :** Les élèves comparent et relient les éléments d'information contenus dans le nouveau texte à des événements qui se déroulent dans le monde.

Les liens les plus simples sont ceux que l'on peut faire entre le texte et soi-même. Les jeunes élèves adorent raconter des choses qu'ils connaissent, des choses qu'ils ont faites, etc. C'est par ce type de liens que l'enseignant doit commencer. Ensuite, il peut passer aux liens entre le texte et un autre texte. Les liens les plus difficiles à faire, surtout pour les jeunes élèves, sont les liens entre le texte et le monde. C'est donc la dernière étape à franchir.

Quand il choisit les stratégies à utiliser pour activer les connaissances antérieures de ses élèves, l'enseignant doit absolument revoir le texte et réfléchir aux connaissances antérieures à activer et aux stratégies qui vont permettre d'atteindre cet objectif. L'enseignant doit décider ce qu'il attend des élèves par rapport au sujet et quels grands concepts les élèves doivent comprendre. En connaissant ces concepts, l'enseignant pourra mieux déterminer les connaissances antérieures qui seront les plus utiles aux élèves pour comprendre le texte.

Stratégie 1 : Le survol des images et du texte

Cette stratégie est souvent utilisée par les enseignants du primaire pendant des séances de lecture dirigée. C'est une stratégie très structurée qui doit toujours être dirigée par l'enseignant. Elle permet au lecteur de bien comprendre le texte en développant les idées principales, en enrichissant son vocabulaire et en se faisant une idée générale du texte avant d'en commencer la lecture. Lors d'un survol des images et du texte, l'enseignant dirige les élèves dans le texte et les images, en se concentrant sur les idées clés et le vocabulaire qui permet aux élèves de faire des liens avec leurs connaissances antérieures.

L'enseignant doit lire le texte avant de le présenter aux élèves de manière à en connaître le vocabulaire et les idées clés. Les élèves pourront écrire et dessiner ce qu'ils ont vu lors du survol des images et du texte sur la feuille de travail « Mon livre et moi » à la page 76. Les élèves doivent également écrire à quoi cela leur fait penser, ce qui les oblige à faire un lien entre le texte et eux.

Stratégie 2 : Jette un coup d'œil et fais des prédictions

Avant de commencer la lecture d'un livre informatif, les élèves doivent observer la couverture du livre, lire le titre et regarder les images afin de se faire une idée de ce qu'ils vont apprendre. En se basant sur leurs connaissances antérieures et sur les éléments d'information qu'ils ont retirés de ce bref coup d'œil, les élèves pourront faire des prédictions sur ce qu'ils vont apprendre. L'enseignant peut éventuellement lire les légendes des images pendant cet exercice. Les premières années, cette stratégie doit rester aussi simple que possible. Une fois qu'ils ont jeté un coup d'œil et qu'ils ont fait des prédictions, les élèves peuvent entamer la lecture du texte, puis vérifier leurs prédictions. Après la lecture, ils modifient ou confirment leurs prédictions. L'enseignant doit rappeler aux élèves de réfléchir tout au long de leur lecture. Cela définit un objectif de lecture. L'enseignant doit montrer comment procéder et diriger les jeunes élèves afin que ces derniers comprennent la stratégie et apprennent à l'utiliser. Cette stratégie fonctionne mieux quand les élèves possèdent quelques connaissances antérieures sur le sujet. Vous pouvez utiliser la feuille de travail de la page 77 pour faire des prédictions.

Stratégie 3 : Prouve-le !

« Prouve-le ! » est une autre stratégie qui fait appel aux prédictions et qui fonctionne très bien avec les textes informatifs. Les élèves font des prédictions à partir du titre du livre et de sa couverture. L'enseignant écrit les prédictions au tableau et les numérote. Ensuite, les élèves jettent un coup d'œil sur le passage du livre qui va être analysé en classe. Il est recommandé de limiter le temps de consultation afin que les lecteurs rapides ne lisent pas le texte au complet. Les élèves doivent faire des prédictions en se basant sur les légendes, les tableaux et les images. Ensuite, ils peuvent lire le passage choisi. Une fois la lecture terminée, les élèves citent tous ensemble les prédictions qui se sont avérées et celles qui, au contraire, se sont révélées erronées. Pour prouver leurs affirmations, les élèves doivent trouver une justification dans le texte. L'enseignant coche les prédictions qui se sont avérées et trace une ligne sur les autres ou les modifie. À la fin, l'enseignant demande aux élèves de nommer les choses importantes qu'ils ont apprises et qui n'étaient pas prévisibles à partir des images. Vous pouvez utiliser la feuille de travail de la page 78 pour vous exercer à appliquer cette stratégie.

Stratégie 4 : Le tableau de la technique SVA

Dans un tableau de la technique SVA, les élèves doivent se concentrer sur deux questions avant la lecture et sur une question après la lecture. Les élèves définissent l'objectif de la lecture en réfléchissant à ce qu'ils Savent déjà (S) et à ce qu'ils Veulent savoir (V) d'un sujet donné. Après la lecture, ils réfléchissent à ce qu'ils ont Appris (A). Les premières années, il vaut mieux utiliser cette stratégie en grand groupe. Les élèves doivent être dirigés et il faut leur montrer comment appliquer cette stratégie. L'enseignant trace un tableau de la technique SVA devant la classe et note les éléments d'information donnés par les élèves dans la colonne appropriée. Voici une brève description des différentes étapes:

> **Étape 1:** Ce que je sais (S). L'enseignant présente le sujet et les élèves font un remue-méninges pour découvrir ce qu'ils savent du sujet. L'enseignant devra peut-être poser des questions pour aider les élèves à activer leurs connaissances antérieures.
>
> **Étape 2:** Ce que je veux savoir (V). Pendant que les élèves nomment les éléments d'information qu'ils connaissent, l'enseignant peut leur demander ce qu'ils aimeraient savoir sur le sujet. Il note ces questions dans la colonne V. Elles servent à diriger la lecture des élèves, car ces derniers doivent essayer de trouver les réponses en lisant.
>
> **Étape 3:** Ce que j'ai appris (A). Une fois la lecture terminée, les élèves répondent aux questions qu'ils ont posées avant la lecture. Ils peuvent également voir les questions pour lesquelles ils n'ont pas de réponse, ce qui fixera un objectif pour des lectures ultérieures sur le sujet.

Quand les élèves auront eu plusieurs occasions de travailler avec la technique SVA en classe, ils pourront essayer de remplir le tableau en petits groupes ou en équipes de deux. Ensuite, les réponses doivent être diffusées dans la classe et affichées pour que tout le monde puisse les voir. La toile d'idées pour les textes informatifs est une variante du tableau de la technique SVA pouvant être utilisée par certains jeunes élèves suivant leur niveau. Les premières années, ces feuilles de travail doivent comprendre un endroit où les élèves peuvent répondre à l'aide d'un dessin quand ils ne peuvent s'exprimer adéquatement avec des mots. Vous trouverez les feuilles de travail de la technique SVA aux pages 79 et 80.

Stratégie 5: Devine et prédis

C'est une autre méthode qui fait appel aux prédictions. C'est un jeu qui ressemble au bonhomme pendu. L'enseignant choisit quatre à huit mots importants dans le texte à lire. Il écrit au tableau un tiret pour chaque lettre d'un mot, et ainsi de suite pour tous les mots. Les mots doivent être numérotés. L'enseignant écrit une par une les lettres de chaque mot, en donnant aux élèves l'occasion de deviner de quel mot il s'agit. Quand un élève devine un mot, l'enseignant écrit toutes les lettres. Les élèves ne trouveront peut-être pas les mots difficiles, mais ils regarderont quand même l'enseignant écrire les lettres et ils essayeront de les deviner. Ils devraient tous avoir les yeux rivés au tableau. Quand tous les mots sont écrits, les élèves utilisent le plus grand nombre de mots possible pour faire des prédictions sur le sujet du livre. L'enseignant écrit les prédictions au tableau. Une fois la lecture terminée, la classe relit les prédictions et découvre lesquelles se sont avérées. Les élèves adorent jouer à des jeux; présenter les prédictions et le vocabulaire de cette façon leur donne envie d'apprendre.

Stratégie 6 : Écriture rapide, dessin rapide

Il s'agit ici d'une stratégie indépendante qui peut être rattachée au remue-méninges. Chaque élève dispose d'une fiche. Les fiches de grand format conviennent mieux aux jeunes élèves. L'enseignant donne cinq à dix minutes aux élèves pour écrire et dessiner tout ce qu'ils savent sur le sujet du livre. Il est important d'offrir aux jeunes élèves la possibilité d'écrire ou de dessiner, car certains s'expriment beaucoup mieux à l'aide d'illustrations. Une fois que le temps alloué est passé, les élèves expliquent ce qu'ils ont écrit et montrent ce qu'ils ont dessiné. Ces éléments d'information peuvent être notés au tableau ou sur du papier grand format comme lors du remue-méninges. Après la discussion, l'enseignant et les élèves lisent le texte. Pendant leur lecture, les élèves cherchent les nouveaux éléments d'information sur le sujet. Une fois qu'ils ont terminé, les élèves retournent leur fiche et y écrivent ou y dessinent deux ou trois choses qu'ils ont apprises. Ensuite, ils peuvent montrer ce qu'ils ont fait. Grâce à cette technique qui allie écriture et dessin, tous les élèves peuvent participer et on peut définir un objectif de lecture. La toile d'idées pour les textes informatifs de la page 81 est une extension de cette activité.

Stratégie 7 : La lecture à voix haute

La lecture à voix haute est une stratégie idéale quand les élèves disposent de peu de connaissances de base sur le sujet. L'enseignant peut avoir recours à cette technique pour présenter un sujet. Avant de lire un livre sur un sujet, il peut montrer aux élèves plusieurs livres informatifs qui traitent du même sujet afin de motiver les élèves et d'éveiller leur intérêt pour le nouveau sujet. L'enseignant peut aussi lire à voix haute un des livres sur le sujet afin d'apporter aux élèves quelques connaissances de base avant que ceux-ci abordent d'autres livres sur le sujet. Il faut en outre définir un objectif de lecture pour les élèves. L'enseignant souhaitera peut-être qu'ils écoutent les idées principales ou les nouveaux mots. On peut jumeler cette activité avec les prédictions. Après la lecture à voix haute, les élèves discutent de ce qu'ils ont appris.

Stratégie 8 : Comparer et opposer

Quand les élèves ont plusieurs livres à leur disposition, ils peuvent les comparer entre eux. Ils peuvent également comparer les éléments d'information contenus dans les livres informatifs avec ce qu'ils ont appris hors de l'école. Comparer et opposer sont d'excellentes façons d'activer les connaissances antérieures. L'enseignant peut enseigner cette stratégie en comparant un nouveau livre avec un autre que les élèves ont lu précédemment. L'enseignant doit être très clair ; il ne peut pas se limiter à supposer que les élèves vont faire le lien entre le nouveau livre et l'ancien. Une fois qu'ils ont ces éléments d'information, les élèves peuvent s'attaquer à la lecture du nouveau livre. Les jeunes élèves trouveront plus facilement les points communs que les différences. L'enseignant doit également faire ressortir les différences entre les deux livres. Il peut transmettre l'information aux élèves en dessinant un diagramme de Venn au tableau et en le remplissant avec les élèves. Admettons, par exemple, que les élèves étudient les aliments. Ils peuvent alors comparer une pomme avec une tomate. Voici quelques points communs que les élèves peuvent mentionner : toutes deux sont rouges, toutes deux sont bonnes pour la santé, toutes deux sont rondes. Voici maintenant quelques différences que les élèves peuvent signaler : les pommes poussent sur un arbre et les tomates sur un plan au sol, la pomme est croquante et la tomate est plutôt molle. L'enseignant doit poser des questions et diriger les élèves pour qu'ils trouvent les différences. Les élèves peuvent former des équipes de deux et remplir un petit diagramme de Venn pour comparer et faire ressortir des différences. Ils doivent connaître les idées ou les objets qu'ils comparent. Il est trop difficile pour eux de comparer et de faire ressortir les différences d'idées complexes. Vous trouverez un diagramme de Venn vierge à la page 82.

Stratégie 9 : Jette un coup d'œil et fais des prédictions

Cette stratégie est souvent utilisée pour les textes fictifs, mais elle est également pertinente pour les textes informatifs. L'enseignant demande aux élèves de jeter un coup d'œil au livre en lisant le titre et en regardant les illustrations. S'ils en sont capables, les élèves peuvent également lire les notes qui se trouvent dans la marge ou les légendes, le cas échéant. En se basant sur leurs connaissances antérieures et sur les éléments d'information acquis au premier coup d'œil sur le livre, les élèves font des prédictions sur ce qu'ils pensent apprendre pendant la lecture, et non sur ce qu'ils croient pouvoir se produire dans l'histoire. Ensuite, en cours de lecture, ils confirment leurs prédictions ou les ajustent si nécessaire. Finalement, une fois qu'ils ont terminé leur lecture, ils vérifient si leurs prédictions se sont avérées ou si elles ont été modifiées pendant la lecture. Pour cette stratégie, les élèves doivent travailler de façon plus autonome ; donc, contrairement à la technique SVA, cette dernière stratégie est plus efficace quand les élèves possèdent quelques connaissances antérieures sur le sujet. L'enseignant montrera comment utiliser cette stratégie la plus grande partie de l'année et il ne doit pas s'attendre à ce que les élèves l'utilisent de façon autonome avant d'y être habitués. Dans certains cas, les élèves ne seront pas à l'aise avec cette stratégie avant les années subséquentes. Vous pouvez, pour aider les élèves, utiliser la feuille de travail de la page 83.

Stratégie 10 : Jette un coup d'œil et pose-toi des questions

Voici une variante de la stratégie « Jette un coup d'œil et fais des prédictions » qui peut être utilisée avec les textes informatifs. Tout comme dans la stratégie précédente, les élèves regardent le titre du livre, les illustrations, les éventuelles notes dans la marge et les légendes avant de se mettre à lire. Cependant, au lieu de faire des prédictions au sujet du texte, ils posent des questions auxquelles ils pensent trouver une réponse dans le livre. Les élèves pourront utiliser cette stratégie de façon autonome après quelques exercices dirigés.

Exemple :

L'enseignant : « Je vais lire un livre sur les tortues de mer. Je vais regarder la couverture, les illustrations et les légendes avant de commencer à lire, afin de voir ce que je peux apprendre dans ce livre. »

(L'enseignant fait cet exercice devant la classe, en lisant à voix haute les légendes et toute autre information pertinente.)

L'enseignant : « En lisant ce livre, je pense que je vais trouver les réponses à quelques questions que je me pose au sujet des tortues. Je vais écrire mes questions afin de m'en souvenir pendant ma lecture. »

(L'enseignant écrit « Que mangent les tortues de mer ? », « Où vivent les tortues de mer ? » au tableau ou sur du papier grand format.)

L'enseignant : « Maintenant, je suis prêt à lire mon livre. J'espère y trouver les réponses à mes questions. Vous pouvez m'aider en me signalant que vous avez entendu une réponse en levant la main. »

(L'enseignant lit le livre à voix haute devant la classe et les élèves lèvent la main quand ils entendent une réponse à une question posée.)

Cette stratégie peut également être utilisée pour lire un article informatif ou un chapitre isolé dans un livre. Après avoir vu quelques fois comment utiliser la stratégie, les élèves peuvent essayer de l'utiliser de façon autonome. L'enseignant peut proposer un livre ou un article et diriger les élèves dans tout le processus. Les élèves peuvent faire le survol préliminaire de façon autonome puis écrire une ou deux questions personnelles auxquelles ils espèrent trouver une réponse dans le livre. Au fur et à mesure que l'année scolaire avance, les élèves vont s'habituer à cette stratégie et l'enseignant pourra leur demander de poser plus de questions avant de commencer la lecture. Les élèves peuvent utiliser la feuille de travail de la page 84 pour formuler leurs questions.

Stratégie 11 : Le remue-méninges

Le remue-méninges permet aux élèves d'activer leurs connaissances antérieures en racontant ou en énumérant tout ce qu'ils savent sur un sujet donné. Au début de l'année, cette stratégie doit être utilisée en grand groupe (toute la classe) mais, au fur et à mesure que l'année avance, elle pourra être utilisée de façon plus autonome. Pour utiliser correctement cette stratégie de façon autonome, les élèves doivent posséder des connaissances antérieures sur le sujet. Quand l'enseignant organise un remue-méninges avec la classe entière, il note le sujet au tableau ou il construit un tableau et demande aux élèves de donner tous les éléments d'information qu'ils connaissent sur le sujet. L'enseignant note ces éléments au tableau, sous le sujet ou tout autour. L'enseignant décide ce qu'il fait des éléments d'information erronés. Si ces éléments d'information sont corrigés pendant la lecture, l'enseignant peut les noter dans le tableau et en discuter ultérieurement. Si ces derniers risquent de perturber l'apprentissage avant la lecture, il vaut mieux en discuter et les corriger avant de les noter dans le tableau. Si les élèves disposent de peu d'éléments d'information, l'enseignant peut inciter la classe à parler en notant des expressions clés que les élèves rencontreront pendant leur lecture, ou en posant des questions destinées à rafraîchir la mémoire des élèves. Une fois que la classe est habituée à utiliser cette stratégie, elle peut l'appliquer de façon plus autonome. L'enseignant peut noter le sujet au tableau et demander aux élèves, seuls ou en équipes de deux, d'écrire les éléments d'information qu'ils connaissent sur le sujet. En deuxième année, l'enseignant doit suivre les mêmes étapes en demandant aux élèves de montrer ce qu'ils ont écrit et en faisant un tableau pour la classe. Ce processus est nécessaire pour deux raisons : tout d'abord, il permet à l'enseignant de corriger les éléments d'information erronés ; deuxièmement, il expose les élèves qui ne connaissent rien sur le sujet aux idées de leurs camarades. L'enseignant doit s'assurer que le remue-méninges est dirigé, mais il ne doit pas le contrôler. Quand elle est utilisée correctement, cette stratégie est une façon efficace d'évaluer les connaissances antérieures des élèves. Certains élèves aimeront utiliser la toile d'idées de la page 85 pour le remue-méninges.

Stratégie 12 : La visualisation

De nombreux livres informatifs présentent les éléments d'information dans des comparaisons, des légendes, des tableaux et des diagrammes. Ces conventions sont souvent intéressantes pour les élèves et elles captent leur attention. L'enseignant doit parler de ces conventions aux élèves en les présentant une à la fois.

Les comparaisons sont souvent utilisées pour décrire la taille, la longueur, la distance et le poids. Les comparaisons font généralement appel à des références connues des jeunes élèves. Les comparaisons permettent aux élèves de visualiser des concepts difficiles, comme la taille de la langue d'une baleine bleue par exemple. Une mesure donnée sans faire de comparaison est peu significative pour les élèves. Mais quand les élèves lisent que la langue de la baleine bleue est aussi grande qu'une voiture, ils ont un point de référence pour établir la comparaison. L'enseignant et les élèves peuvent chercher des conventions dans les livres et l'enseignant peut noter celles qu'ils trouvent dans un tableau de classe. Les élèves peuvent aussi noter les conventions dans leur cahier. Utiliser ces conventions pour visualiser une information qui serait autrement abstraite pour eux aide les élèves à mieux comprendre les textes informatifs.

Stratégie 13 : Le guide d'anticipation

Les guides d'anticipation sont des affirmations faites au sujet du texte que les élèves vont lire. Ils peuvent être utilisés pour créer des liens entre les connaissances antérieures des élèves et ce qu'ils apprendront en lisant le texte. Cette stratégie convient également pour les sujets peu connus des élèves. Readence, Bean et Baldwin (1981, 1985, 1989) ont établi un ensemble de lignes directrices pour activer les connaissances antérieures des élèves à l'aide des guides d'anticipation. L'enseignant qui veut utiliser cette stratégie de façon efficace avec sa classe peut suivre ces étapes :

Étape 1 : Revoir le texte pour en dégager les concepts clés.

Étape 2 : Définir les connaissances antérieures des élèves. En vous basant sur ce que vous savez de vos élèves, imaginez ce qu'ils connaissent déjà.

Étape 3 : Rédiger des affirmations. En vous basant sur les éléments d'information des deux premières étapes, écrivez en haut du texte des affirmations que les élèves doivent lire et pour lesquelles ils doivent dire s'ils sont d'accord ou non. Ces affirmations doivent être liées aux concepts du texte et peuvent contenir des éléments d'information sur lesquels les élèves n'ont aucunes connaissances antérieures. Le nombre d'affirmations à donner dépend de la longueur du texte, mais cela variera probablement entre quatre et huit. En première et deuxième années, il est recommandé de commencer par des affirmations de type « vrai ou faux ». Une fois que les élèves sont habitués à utiliser cette stratégie, vous ne devez plus vous limiter à ce type d'affirmations.

Étape 4 : Décider de la façon dont vous allez présenter les affirmations et de l'ordre dans lequel vous les présenterez. L'ordre des affirmations doit suivre l'ordre du texte. Décidez si vous les présenterez à la classe entière sur le rétroprojecteur ou si vous les distribuerez individuellement aux élèves sur des feuilles de travail.

Étape 5 : Présenter les affirmations. Les élèves lisent les affirmations et expriment leur accord ou leur désaccord envers chacune. Vous pouvez leur demander de donner leur réponse à voix haute afin que la classe entière entende toutes les réponses.

Étape 6 : Discuter des affirmations. Les élèves discutent tous ensemble des affirmations et des raisons pour lesquelles ils sont d'accord ou ne sont pas d'accord avec ces dernières. Vous pouvez faire le compte à côté de chaque affirmation.

Étape 7 : Lire le texte. Demandez aux élèves de lire le texte en pensant aux affirmations qu'ils viennent de voir et dont ils viennent de discuter.

Étape 8 : Faire le suivi. Terminez l'exercice en relisant les affirmations et en vous basant sur les éléments d'information appris dans le texte pour exprimer votre accord ou votre désaccord.

Exemple :

Votre classe s'apprête à lire un livre sur les jours de congé au Canada. L'enseignant lit l'article, relève les concepts clés et détermine le niveau des connaissances antérieures de la classe sur ce sujet (Étapes 1 et 2). Ensuite, l'enseignant écrit entre quatre et huit affirmations de type « vrai ou faux » au sujet du texte (*Le jour du Souvenir* est le jour où nous nous souvenons des anciens combattants canadiens.) (Étape 3). Présentez les affirmations à la classe sur le rétroprojecteur. Demandez aux élèves de vous indiquer s'ils sont d'accord ou non avec ces affirmations à l'aide de leur pouce: s'ils sont d'accord, ils tendent le pouce vers le haut; dans le cas contraire, ils tendent le pouce vers le bas. Discutez des réponses (Étapes 4, 5 et 6). La classe lit le texte. Une fois que la lecture est terminée, relisez les affirmations et redemandez aux élèves s'ils sont d'accord ou non avec chacune, à la lumière des éléments d'information qu'ils viennent de lire (Étape 7 et 8).

Les guides d'anticipation sont des outils intéressants à utiliser dans la classe. Ils poussent les élèves à réfléchir sur des choses qu'ils ne connaissent pas. Cependant, comme pour toute stratégie, plus les élèves l'utiliseront, plus ils seront à l'aise pour le faire.

L'enseignant peut utiliser la feuille de travail « Le guide d'anticipation » de la page 86 pour que les élèves travaillent de façon autonome avant et après la lecture. N'oubliez cependant pas d'écrire le titre et le sujet du livre ainsi que quatre affirmations au sujet du texte avant de photocopier la feuille de travail.

Stratégie 14 : Le matériel concret et les expériences réelles

Le matériel concret et les expériences réelles sont des stratégies idéales quand on veut construire des connaissances antérieures plutôt que les activer. Les élèves comprennent généralement mieux les choses qu'ils peuvent voir, toucher et faire. L'enseignant doit établir clairement le lien entre les expériences et ce qu'il enseigne, et ne pas s'attendre à ce que les élèves le fassent eux-mêmes. On entend par matériel concret et expériences les sorties éducatives, les vidéos, les photos, les objets réels et les expériences. Admettons que les élèves étudient les plantes et leur croissance, l'enseignant peut organiser une expérience avec plusieurs plantes qui ont besoin de soins différents.

Stratégie 15 : Les papillons adhésifs amovibles

Il arrive que l'enseignant doive enseigner de façon explicite les connaissances de base sur un sujet précis. Utiliser des papillons adhésifs amovibles quand on lit des textes inhabituels permet à l'enseignant et aux élèves de se concentrer sur les éléments d'information les plus importants d'un livre. Pour cette méthode, commencez par rassembler plusieurs livres se rapportant au sujet. L'enseignant les lit et discute des images et des photos. En lisant, l'enseignant et les élèves écrivent des questions sur des papillons adhésifs amovibles et les placent dans un tableau. Une fois que plusieurs livres ont été lus et comportent des papillons adhésifs amovibles, l'enseignant et les élèves les classent par catégories. Par exemple, si la classe étudie la vie dans un étang, ils auront sans doute des questions au sujet des animaux, des plantes, de ce que les animaux mangent et de la façon dont ils grandissent. Une fois que les papillons sont triés et que les questions ont été discutées, les élèves peuvent écrire et dessiner ce qu'ils ont appris.

Mon livre et moi

Stratégie 1

Consignes :

- Du côté gauche du livre, écris ou représente par un dessin des mots tirés de ton livre.
- Sur le côté droit du livre, écris ce que te rappellent les mots ou les dessins.

Jette un coup d'œil et fais des prédictions

Stratégie **2**

Consignes :

- Écris le titre du livre que tu vas lire ci-dessous.
- Dessine la couverture du livre.

Prédiction : Que penses-tu apprendre ?

Je prédis que : ____

____

____

____

____

Prouve-le !

Stratégie 3

Consignes :

- Avant de commencer ta lecture, remplis la colonne gauche du tableau.
- Une fois la lecture terminée, remplis la colonne droite.

Titre du livre : ____

Avant la lecture	**Après la lecture**
Je prédis que je vais apprendre :	Je prédis que je vais apprendre :
1. ______________________	**1.** ______________________
______________________	______________________
______________________	______________________
______________________	______________________
2. ______________________	**2.** ______________________
______________________	______________________
______________________	______________________
______________________	______________________
3. ______________________	**3.** ______________________
______________________	______________________
______________________	______________________
______________________	______________________

Le tableau de la technique SVA

Stratégie 4

Consignes :

- Écris le titre du livre que tu vas lire.
- Remplis les colonnes S et V avant de lire le livre.
- Remplis la colonne A avec ce que tu as appris pendant ta lecture.

Titre : ____

S : Ce que je Sais	V : Ce que je Veux savoir	A : Ce que j'ai Appris
______________	______________	______________
______________	______________	______________
______________	______________	______________
______________	______________	______________
______________	______________	______________
______________	______________	______________
______________	______________	______________
______________	______________	______________
______________	______________	______________
______________	______________	______________
______________	______________	______________
______________	______________	______________
______________	______________	______________
______________	______________	______________
______________	______________	______________

Une variante de la technique SVA

Stratégie 4

Consignes : Écris le titre et le sujet du livre. Ensuite, suis les consignes données dans chaque boîte.

Titre : ______________________________

Sujet : ______________________________

Que sais-tu avant de lire ce livre ?

1. ______________________________

____

2. ______________________________

____

Qu'as-tu appris en lisant ce livre ?

1. ______________________________

____

2. ______________________________

____

Au dos de la feuille, fais un dessin et nomme une chose que tu as apprise pendant ta lecture.

Écris deux questions que tu te poses sur le sujet et auxquelles tu n'as pas trouvé de réponse dans ce livre.

1. ______________________________

____

2. ______________________________

____

La toile d'idées pour les textes informatifs

Stratégie 6

Consignes :

- Écris le titre de ton livre.
- Le sujet du livre est ce dont il parle. Écris le sujet de ton livre.
- Remplis les deux premières sections avant de lire le livre.
- Remplis la dernière section après avoir terminé ta lecture.

Titre : ______________________________

Sujet : ______________________________

Avant de commencer ma lecture, je sais que : ______________________________

____

____

____

____

Ce que je veux savoir : ______________________________

____

____

____

____

Voici ce que j'ai appris : ______________________________

____

____

____

____

Le diagramme de Venn

Stratégie 8

Consigne : Écris deux choses dans chaque section du diagramme.

Titre : ____________________ Titre : ____________________

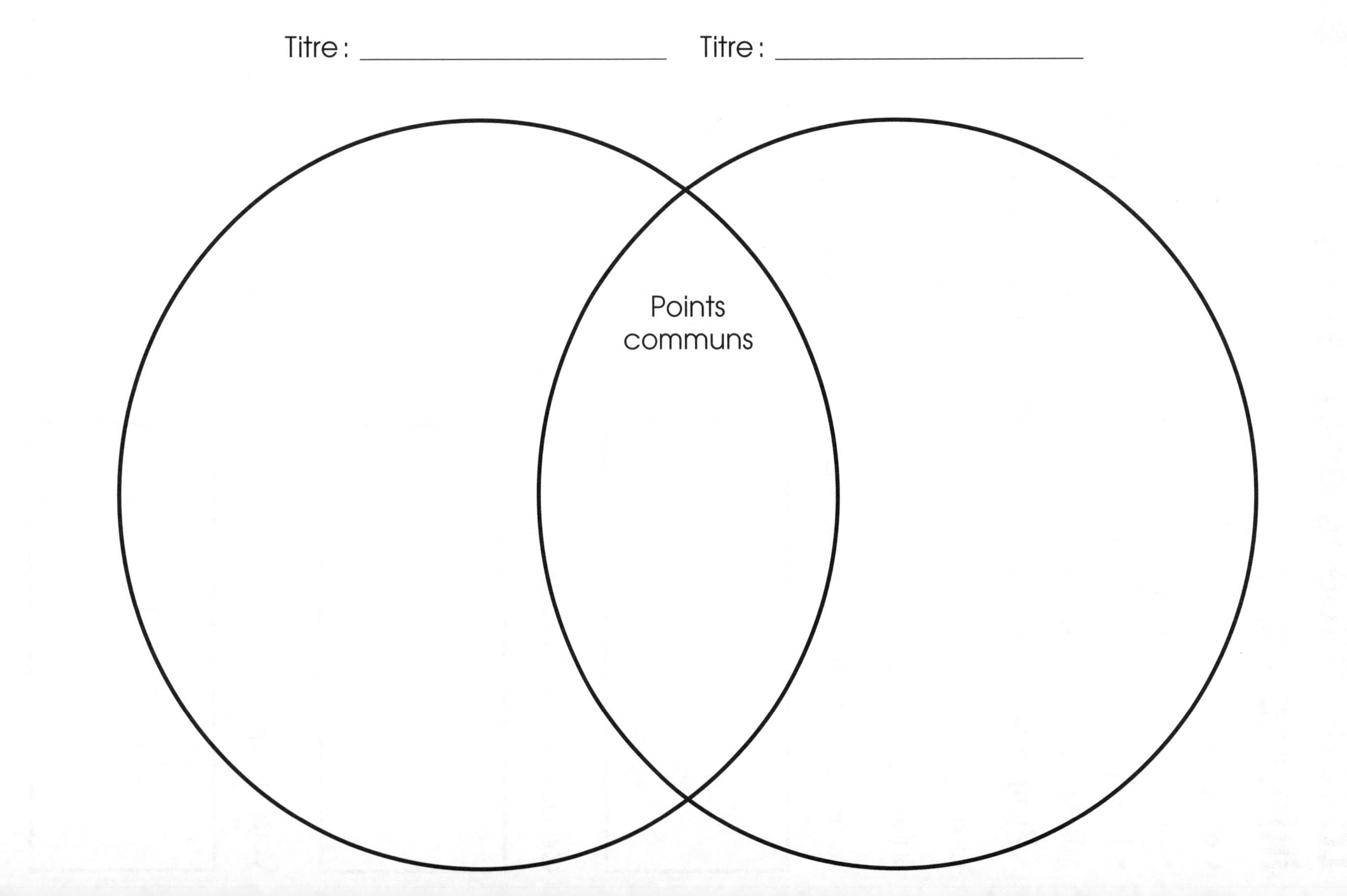

Jette un coup d'œil et fais des prédictions

Stratégie 9

Consignes : Jette un coup d'œil au titre du livre, à sa couverture et aux illustrations. Invente une nouvelle couverture avec un nouveau titre et de nouvelles illustrations qui font ressortir au moins deux éléments que tu penses apprendre en lisant ce livre.

Jette un coup d'œil et pose-toi des questions

Stratégie 10

Consignes : Avant de commencer ta lecture, écris trois questions auxquelles tu penses trouver une réponse dans le livre. Une fois ta lecture terminée, reprends tes questions et réponds-y.

Question 1 : ______________________________

____

____

Réponse : ______________________________

____

____

Question 2 : ______________________________

____

____

Réponse : ______________________________

____

____

Question 3 : ______________________________

____

____

Réponse : ______________________________

____

____

Le remue-méninges

Stratégie 11

Consignes : Écris le sujet ou le titre de ton livre dans l'ovale au centre de la toile. Écris ce que tu connais du sujet dans les autres ovales.

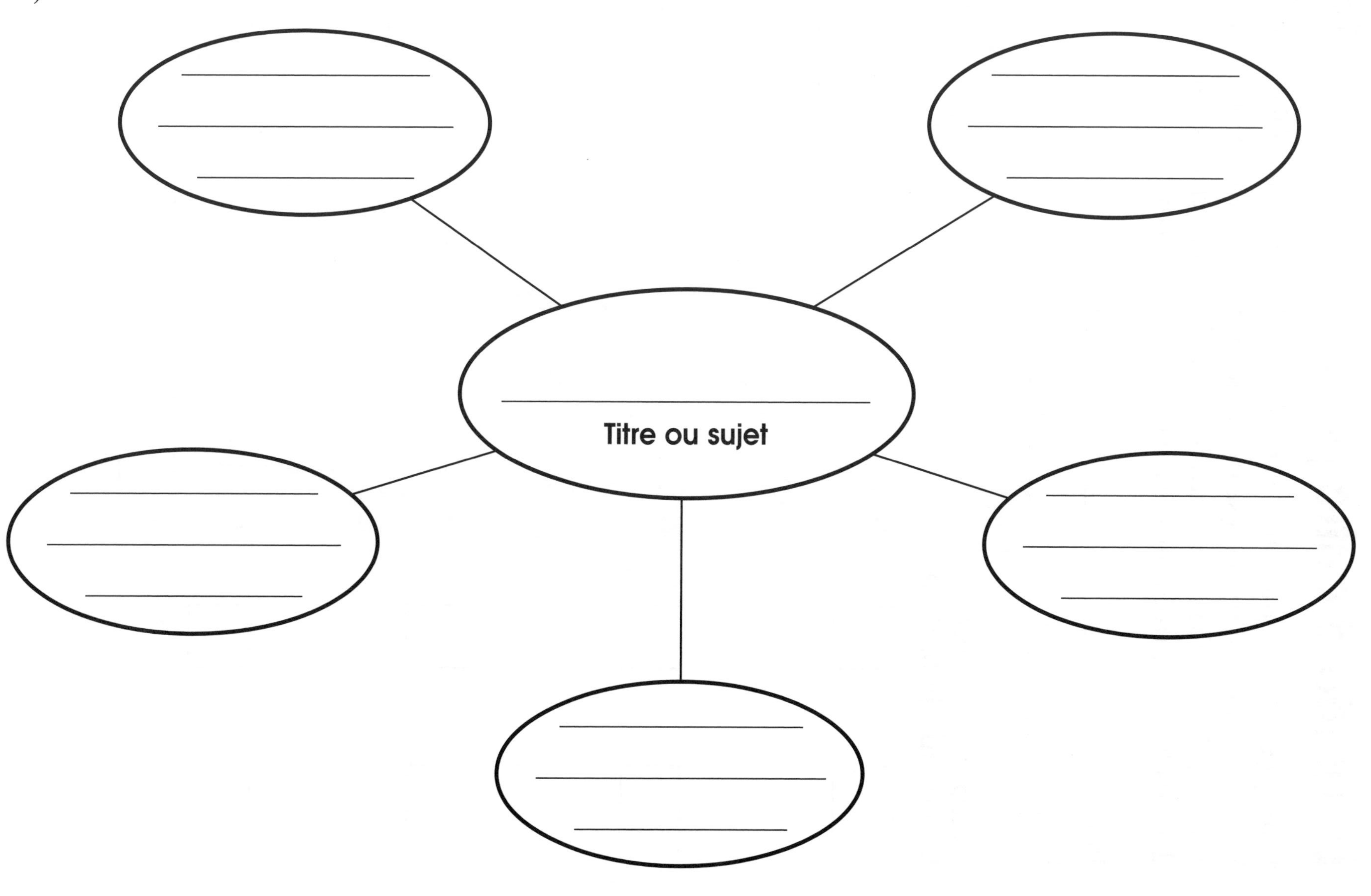

Le guide d'anticipation

Stratégie **13**

Consignes : Lis chaque phrase et prédis si elle est vraie ou fausse en inscrivant V ou F dans une des boîtes se trouvant sous le titre **Avant la lecture.** Réponds avant de lire ton livre. Après avoir lu ton livre, relis chaque phrase et réponds dans les boîtes se trouvant sous le titre **Après la lecture.**

Titre : ____________________

Sujet : ____________________

Avant la lecture	**Après la lecture**	
☐	☐	**1.** ____________________
☐	☐	**2.** ____________________
☐	☐	**3.** ____________________
☐	☐	**4.** ____________________

CHAPITRE 5

Le point de vue de l'auteur

Les textes informatifs ou les exposés sont écrits pour apporter des éléments d'information factuels sur un sujet. Les jeunes élèves ont plus de mal à les comprendre, car ils ne sont pas habitués aux modèles structurés. On trouve des graphiques, des tableaux, des diagrammes, des cartes et des illustrations avec légendes dans les exposés. Pour pouvoir accéder aux nombreux éléments d'information qui se trouvent dans les textes informatifs, les élèves doivent ralentir leur rythme de lecture et lire attentivement chaque mot. Les élèves des premières années sont plus concentrés sur le décodage des mots. L'enseignant peut diriger les élèves dans la structure du texte et leur enseigner à bien comprendre l'information. Cette information peut être présentée de différentes façons : dans des livres d'images, dans des fictions réalistes, dans des articles de journaux et dans la littérature générale. Tout au long de l'année, l'enseignant doit présenter ces différentes sources aux élèves afin d'augmenter leurs chances de comprendre les textes informatifs.

Les textes informatifs contiennent des faits qui doivent être précis et vérifiables. Les élèves pensent que tout ce qui est écrit dans les textes informatifs est vrai. Or, ce n'est pas toujours le cas. Les points de vue de l'auteur et les biais apparaissent dans le choix des mots et le ton utilisé. L'enseignant doit apprendre aux élèves à faire preuve de discernement et à ne pas croire aveuglément tout ce qu'ils lisent. Les élèves doivent être capables de faire la différence entre un fait et une opinion et ils doivent comprendre le message d'un auteur et le rattacher à leur propre vie. L'enseignant peut commencer à apprendre aux jeunes élèves à devenir des lecteurs critiques en leur expliquant comment faire la différence entre un fait et une opinion, à déterminer l'objectif et le point de vue de l'auteur. Ces compétences demandent beaucoup d'entraînement et devront être approfondies au cours des années subséquentes.

Les jeunes élèves ne font pas la différence entre les faits et les opinions. Ce sont des termes nouveaux pour eux et ils n'ont jamais été exposés ni à l'un ni à l'autre. Quand ils lisent des textes informatifs, les élèves doivent cependant être capables de faire la distinction entre un fait et une opinion. Pour y arriver, ils doivent d'abord connaître la définition des deux termes. Un *fait* est une chose vraie qui peut être vérifiée auprès d'une autre source. Par exemple, si les élèves lisent: « L'île d'Hawaii se trouve dans l'océan Pacifique », ils peuvent regarder une carte pour vérifier si cette affirmation est exacte. Pour vérifier des faits, on peut avoir recours à Internet, aux dictionnaires, aux encyclopédies, etc. Une *opinion* est une manière de penser ou une croyance personnelle au sujet d'une chose donnée. Elle n'est aucunement vérifiable. Les lecteurs ne peuvent pas prouver une opinion en la vérifiant dans d'autres sources. Un auteur peut écrire: « Les canards sont les plus beaux oiseaux qui soient. » C'est ce que l'auteur pense, mais ce n'est pas un fait qui peut être vérifié. Il se peut que le lecteur n'aime pas les canards et ne les trouve pas beaux. Les auteurs combinent souvent les faits et les opinions dans leurs textes. Il faut apprendre aux élèves à faire la distinction entre les deux.

Stratégie 1 : Les mots clés

Une des façons de procéder est d'apprendre aux élèves les mots clés qui indiquent qu'il s'agit d'une opinion. En voici quelques-uns : *il semblerait que, je crois que, vraisemblablement, je pense que, il se pourrait que, il semble que, probablement.* De nombreux qualificatifs indiquent également qu'il s'agit d'une opinion. Parmi eux, on peut citer *le meilleur, le plus beau* et *le plus grand.* Signalez ces mots clés et ces qualificatifs aux élèves quand vous les trouvez dans un texte. Les élèves doivent les connaître pour pouvoir faire la distinction entre un fait et une opinion. Les élèves peuvent s'entraîner à trouver les mots clés avec la feuille de travail de la page 95.

Stratégie 2 : Construire des connaissances de base

Étant donné que les jeunes élèves ont été peu exposés aux concepts de faits et d'opinions, l'enseignant doit les aider à construire des connaissances de base à ce sujet. Les élèves qui disposent de connaissances ou d'expériences antérieures réussissent mieux à faire la différence entre un fait et une opinion. Dans le cadre de mini-leçons, l'enseignant peut enseigner aux élèves les mots clés qui indiquent qu'il s'agit d'une opinion. L'enseignant présente deux affirmations au tableau ou sur le rétroprojecteur : la première contenant uniquement des faits, l'autre, des opinions. Les deux phrases doivent comprendre quelques mots identiques pour rendre la recherche des mots clés plus aisée. Voici un exemple :

- Le hockey est un sport d'équipe.
- Le hockey est un sport ennuyeux.

Une fois que l'enseignant a lu les deux affirmations, la classe discute afin de déterminer s'il s'agit d'un fait ou d'une opinion. Les élèves peuvent citer les mots qui apparaissent dans les deux affirmations: hockey, sport. Les élèves peuvent vérifier la première phrase en regardant la définition du mot *hockey* dans le dictionnaire. Cette recherche peut les amener à conclure que la première affirmation est un fait. Si les élèves sont d'accord avec la deuxième affirmation, ils penseront peut-être que c'est également un fait. L'enseignant doit alors attirer leur attention sur le mot qui indique que c'est une opinion (*ennuyeux*) et expliquer pourquoi cette affirmation n'est pas un fait. Une fois que le mot a été cité, l'enseignant le note dans un tableau qui peut être affiché pour y ajouter les mots clés. L'enseignant écrit deux autres phrases et recommence l'exercice. Cette activité permet d'apprendre les mots qui indiquent qu'une phrase reflète une opinion. Ce concept difficile doit être présenté plusieurs fois et l'enseignant doit revoir le tableau des mots clés tous les jours afin que les élèves s'en souviennent. Les élèves peuvent utiliser les feuilles de travail des pages 96 et 97 pour apprendre à faire la distinction entre un fait et une opinion.

Stratégie 3 : Le diagramme en T sur les faits et les opinions

L'enseignant construit un diagramme en T au tableau ou sur du papier grand format. Il écrit *Faits* d'un côté et *Opinions* de l'autre. Il peut écrire quelques affirmations sur du papier grand format ou les présenter à l'aide du rétroprojecteur. Les élèves doivent voir les mots pour apprendre à devenir des lecteurs critiques. L'enseignant lit les affirmations et les élèves disent de quel côté du diagramme en T il faut écrire chacune d'entre elles. Les élèves doivent utiliser des signaux non verbaux pour indiquer leurs choix: ils ouvrent la main pour indiquer qu'il s'agit d'un fait et ils la ferment pour indiquer qu'il s'agit d'une opinion. Ils doivent justifier leurs réponses afin que ceux qui ne sont pas d'accord puissent entendre les réflexions ayant motivé une décision. Une fois que les affirmations sont inscrites dans le diagramme, l'enseignant ou un élève souligne les mots clés qui indiquent qu'il s'agit d'une opinion. S'ils ne s'y trouvent pas déjà, les mots sont alors ajoutés au tableau de référence des mots clés. Les élèves doivent consulter ce tableau en faisant l'activité pour voir si certains mots s'y trouvent. Après quelques exercices dirigés, les élèves peuvent faire cette activité avec un camarade en utilisant des diagrammes en T individuels et des affirmations prérédigées qu'ils doivent découper et coller du bon côté.

Stratégie 4 : La chasse aux faits

Lors d'une séance de lecture dirigée, les élèves peuvent aller à la chasse aux faits dans leur livre. Quand ils trouvent un fait, ils l'ajoutent à la liste dressée pour la classe. Cette activité fonctionne bien avec les livres informatifs simples comportant peu de texte et la plus grande partie de la littérature scientifique générale. Les faits sont souvent présentés dans les légendes rédigées sous les images, ce qui les rend plus faciles à trouver. Les élèves aiment cette activité. À la fin de l'exercice, ils choisissent un des faits de la liste qu'ils écrivent et illustrent à l'aide d'un dessin. La liste des faits peut être recopiée dans un cahier de classe. Vous pouvez utiliser la feuille de travail de la page 98 pour faire cette activité.

Stratégie 5 : Surligner le texte

Les élèves adorent utiliser des surligneurs. L'enseignant écrit sur du papier grand format un petit paragraphe contenant des faits et des opinions. Certaines opinions doivent être évidentes. En utilisant deux surligneurs de couleurs différentes, les élèves surlignent les phrases selon qu'il s'agit d'un fait ou d'une opinion, puis ils expliquent comment ils en sont arrivés à cette réponse.

Stratégie 6 : Lancer le dé

Les élèves peuvent développer de façon agréable les compétences acquises en jouant à un jeu qui renforce les stratégies abordées précédemment. Avant de le photocopier le modèle de dé de la feuille de travail à la page 99, écrivez dans chaque boîte « fait » ou « opinion ». Les élèves ont à découper le modèle et à construire le dé. Ensuite, ils lancent le dé et donnent un fait ou une opinion suivant ce qu'ils ont obtenu. Ils peuvent écrire leurs affirmations dans le diagramme en T utilisé précédemment. L'enseignant peut également utiliser une liste de faits qui viennent d'être appris pendant la leçon d'univers social. Les élèves essaient de transformer les faits en opinions en insérant un mot clé choisi dans le tableau de référence. On peut également utiliser le dé en écrivant sur chaque côté quelques faits et quelques opinions provenant d'une leçon récente. Les élèves lancent le dé puis ils lisent l'affirmation et décident s'il s'agit d'un fait ou d'une opinion.

Stratégie 7 : Dans le journal

Les journaux des élèves sont une excellente source de faits et d'opinions. Lors d'une séance de lecture dirigée, les élèves lisent un article de journal et choisissent des affirmations qui sont des faits. Ils copient une affirmation sur la feuille de travail « Les nouvelles ! » de la page 100, et ils l'illustrent. L'enseignant peut également apporter des extraits de journaux et y chercher des faits et des opinions avec les élèves. Cette fois encore, les élèves peuvent choisir un fait qu'ils vont copier et illustrer sur la feuille de travail. À la fin, les feuilles de travail peuvent être affichées sur un babillard ou présentées dans un « Cahier de faits fantastiques ».

Stratégie 8 : L'objectif

Les jeunes élèves ont tendance à croire que tout ce qui se trouve dans le journal est vrai. Lors d'une séance de lecture dirigée, l'enseignant peut utiliser quelques extraits de journaux pour démontrer les différents objectifs d'écriture. Les élèves travaillent sur une section à la fois. Ils en discutent et cherchent l'objectif de l'auteur. Après avoir lu et discuté de chaque section, les élèves et l'enseignant peuvent chercher l'objectif d'écriture de l'auteur. Prenez une grande affiche et divisez-la en quatre pour indiquer les objectifs de l'auteur. Les élèves peuvent alors coller les extraits de journaux sous le titre correspondant. Entre autres extraits de journaux que vous pouvez utiliser, il y a les émissions télévisées, les bulletins météo, les publicités et les pages sportives. Vous pouvez également utiliser la feuille de travail de la page 101 pour faire cette activité.

Stratégie 9 : Mon journal personnel

Une fois qu'ils sont habitués à écrire les nouvelles en groupe, les élèves peuvent réaliser la même activité en dyades ou individuellement. Les élèves se servent de la feuille de travail « Mon journal du jour » de la page 102 pour créer leur propre journal. Tous les journaux peuvent ensuite servir comme matériel de lecture pour la classe.

Stratégie 10 : La lecture dirigée

Lors des séances de lecture dirigée, il est recommandé de lire plusieurs types de textes différents appuyant différents points de vue et d'en discuter. L'enseignant doit diriger les élèves afin qu'ils trouvent les indices leur permettant de découvrir le point de vue de l'auteur.

Stratégie 11 : Rédiger de différentes façons

Après avoir lu et entendu des textes rédigés à la première et à la troisième personne, les élèves peuvent s'exercer à utiliser ces deux techniques d'écriture. Avant cela, les élèves doivent avoir participé à plusieurs leçons d'écriture dirigée au cours desquelles les deux types d'écriture ont été expliqués. Cette activité doit être réalisée en petits groupes. La moitié de la classe peut écrire à la troisième personne et l'autre moitié, à la première personne. L'enseignant donne aux élèves une image qui fait référence à un sujet étudié. Les élèves qui écrivent à la troisième personne ne peuvent utiliser aucun pronom de la première personne comme *je, moi* ou *nous*, ou de déterminant possessif comme *mon, ma* ou *mes* dans leur texte. Les élèves qui écrivent à la première personne doivent se dessiner dans l'image, puis rédiger un texte en se plaçant dans cette perspective. Vous pouvez utiliser la feuille de travail « Un point de vue » de la page 103 pour cette stratégie. Voici à quoi les textes peuvent ressembler :

Point de vue de la première personne : J'ai planté une graine. Elle va grandir et devenir une plante. J'ai planté la graine dans la terre. Ensuite, je vais arroser la graine. Je vais la mettre au soleil. Ma plante va grandir et elle va avoir des feuilles et donner une fleur.

Point de vue de la troisième personne : Toutes les plantes proviennent de graines. Ces dernières donnent différentes sortes de plantes. Pour grandir, les plantes ont besoin de soleil, d'eau et de terre. Les plantes ont des tiges et des feuilles.

Stratégie 12 : Le jeu de rôle

Après avoir étudié les gens célèbres au cours d'une leçon d'univers social, chaque élève peut écrire un petit texte en se plaçant dans la peau d'une personne célèbre.

Stratégie 13 : Quelle nouvelle ?

Les élèves peuvent former des groupes et écrire les nouvelles quotidiennes de la classe. Chaque groupe se munit de marqueurs et de papier grand format pour noter les nouvelles. Entre autres nouvelles, les élèves peuvent parler du temps qu'il fait, des activités de la classe, de ce qui se passe dans la cour de récréation, du menu du dîner, etc. Les élèves adorent parler de leur journée et le fait d'utiliser des marqueurs et du papier grand format est très motivant pour eux. Les nouvelles sont généralement un mélange de textes à la première et à la troisième personne. Une fois que tous les groupes ont terminé leur texte, un élève de chaque groupe lit les nouvelles à l'aide d'un faux micro. Les élèves peuvent chercher le point de vue de la personne qui écrit dans quelques textes.

Stratégie 14 : Le défi

Vous pouvez jouer à ce jeu en utilisant la feuille de travail de la page 104, où les élèves écrivent leurs propres faits et leurs opinions. Ils échangent ensuite leur texte avec celui de leurs camarades. Chaque élève doit lire les affirmations de son camarade et déterminer, pour chacune, s'il s'agit d'un fait ou d'une opinion. Incitez les élèves à utiliser des mots clés dans leurs opinions et regardez s'ils sont capables de tromper ou de défier leurs camarades. Supervisez leur travail pour vous assurer qu'il est correct et pour éviter tout conflit lié à une divergence d'opinions entre les élèves.

Stratégie 15 : Quel est le problème ?

Les élèves doivent comprendre que les auteurs expriment souvent leur propre perception dans leurs textes. Ils ne montrent pas toujours les deux côtés d'un problème. C'est ce qu'on appelle un *biais*. L'enseignant peut aider les élèves à comprendre les biais en présentant ces derniers d'une façon qu'ils comprennent, comme les conflits. L'enseignant peut utiliser des images d'élèves qui ont des problèmes : par exemple, un élève tient plusieurs pastels dans sa main tandis qu'un autre élève tend une main vide ; un élève pleure dans la cour de récréation et un autre élève se trouve à côté de lui ; deux élèves jouent à un jeu de société, ils ont l'air fâchés tous les deux et un des élèves montre le jeu du doigt. L'enseignant se sert des images pour lancer la discussion. Il forme des équipes et demande aux élèves de jouer le rôle d'un des élèves représentés sur les images. Chaque élève explique le problème de son côté. L'enseignant dirige les élèves pour leur faire découvrir que le problème sera exposé différemment suivant la personne qui raconte l'histoire. Vous trouverez des situations sujettes à discussion sur la feuille de travail de la page 105.

Différentes raisons motivent les auteurs. Les lecteurs doivent être capables de décoder le message que l'auteur veut transmettre, le ton utilisé et la validité de son point de vue. L'enseignant peut commencer par enseigner aux jeunes élèves comment devenir des lecteurs critiques. Ils doivent apprendre à relire pour vérifier l'exactitude de l'information. Les élèves doivent également apprendre à faire la distinction entre les faits et les opinions. L'enseignant peut présenter clairement ces éléments d'information lors de leçons dirigées. Les élèves peuvent apprendre à utiliser la structure des textes informatifs pour reconnaître les thèmes. Cette technique dirigée établit les connaissances de base dont les élèves ont besoin au fur et à mesure qu'ils progressent et deviennent des lecteurs critiques.

Stratégie 16 : La première personne/la troisième personne

Après que les élèves ont lu ou entendu les textes écrits à la première et la troisième personne, donnez-leur des questions auxquelles ils devront répondre lors de séances d'écriture dirigée. Posez quelques questions à la première personne et quelques-unes à la troisième personne, afin qu'ils puissent s'exercer aux deux types d'écriture. Une fois que cette technique leur est familière, divisez la classe et demandez à une moitié d'écrire à la première personne et à l'autre moitié d'écrire à la troisième personne.

Utilisez la feuille de travail de la page 106 pour former des dyades et demandez aux élèves d'écrire ensemble à la première et à la troisième personne ou demandez à un élève d'écrire à une personne et à l'autre élève d'écrire à l'autre personne. Placez les textes sur un babillard ou dans un cahier de classe afin que les élèves puissent lire les deux points de vue côte à côte.

Stratégie 17 : Devine !

Dressez une liste des thèmes ou des messages récurrents dans les textes informatifs. Vous pouvez faire cette activité en classe ou préparer vous-même une liste que vous afficherez en classe (par exemple : travailler ensemble, vivre une aventure, aider les autres, survivre, etc.). Quand vous lisez des histoires à voix haute aux élèves, discutez des messages possibles que l'auteur tente de véhiculer. Discutez de la façon de trouver le message à l'aide des événements du texte. Utilisez les feuilles de travail des pages 107 et 108 pour faire cette activité avec les élèves.

Stratégie 18 : Faire des liens entre les thèmes

Allez un peu plus loin dans la recherche du message et demandez aux élèves de faire des liens entre le message ou le thème de l'auteur et une chose de leur propre vie. En faisant des liens entre un thème et un événement de leur vie, les élèves comprendront mieux le message ou l'objectif d'écriture de l'auteur. Vous pouvez utiliser la feuille de travail de la page 109 pour un exercice dirigé ou autonome.

Stratégie 19 : Tout n'est pas toujours vrai !

Proposez plusieurs types de textes aux élèves afin de leur montrer les différentes raisons qui poussent les auteurs à écrire. Utilisez des annonces publicitaires, des récits, des descriptions, etc. Demandez aux élèves de lire les textes et demandez-leur pourquoi, selon eux, l'auteur les a écrits. Les élèves pensent souvent que tout ce qui est écrit est vrai. Ils ne comprennent pas que des gens utilisent les textes écrits pour essayer de vendre des produits ou de convaincre les lecteurs qu'une chose est correcte ou qu'elle est meilleure qu'une autre. En analysant différents types d'écriture et en discutant des raisons qui motivent les auteurs à écrire, les élèves prennent conscience des différents objectifs d'écriture qui existent.

Stratégie 20 : Mon côté/ton côté

Remettez aux élèves la feuille de travail de la page 110. Formez des équipes et demandez aux élèves de choisir chacun un côté d'un problème. Ils discutent alors du problème et écrivent les deux points de vue l'un à côté de l'autre, sur la même page. Lisez-les à voix haute ou affichez-les dans la classe afin que les autres élèves puissent les lire et décider avec quel point de vue ils sont d'accord.

Stratégie 21 : Je ne suis pas d'accord avec toi

Les élèves doivent aussi apprendre qu'ils peuvent être en désaccord avec le texte ou avec ce que l'auteur a écrit. Lisez des extraits de textes à voix haute et demandez aux élèves d'en faire autant. Discutez avec eux pour déterminer s'ils sont d'accord ou non avec l'auteur. Cherchez ou écrivez des extraits pertinents pour les élèves. Voici quelques exemples de titres : « Les chiens valent mieux que les chats », « Lundi est le plus beau jour de la semaine ».

Après la lecture, demandez aux élèves comment ils ont décelé que l'auteur exprimait son avis personnel ou que cela représentait un seul point de vue. Choisissez des exemples faciles à comprendre pour les élèves afin de leur montrer clairement qu'il peut y avoir deux points de vue, mais que les auteurs se limitent souvent à un seul. Les élèves peuvent utiliser la feuille de travail de la page 111 pour marquer ou non leur accord de façon autonome.

On peut commencer à enseigner aux élèves à lire de façon critique et discriminante dès la première ou la deuxième année. L'enseignant présente des compétences que les élèves continueront à développer pendant le reste de leur vie de lecteur. Les textes informatifs offrent de nombreuses possibilités d'enseigner aux élèves comment devenir des lecteurs critiques. Apprendre aux élèves à distinguer un fait d'une opinion, à porter une attention à la structure utilisée par l'auteur et à son point de vue et à chercher le message ou les thèmes d'un texte sont autant d'éléments qui permettront aux élèves de devenir des lecteurs critiques et de lire des textes pour leur signification.

Les mots clés

Stratégie 1

Consigne : Dans les phrases ci-dessous, souligne les mots clés qui te permettent de voir que ce sont des opinions.

L'été est la plus belle saison.

Nous irons peut-être au parc aujourd'hui.

Les grands chiens valent mieux que les petits.

Le soccer est plus amusant que le football.

Consignes : Écris une phrase qui reflète une opinion. Souligne le mot clé que tu as utilisé.

____

____

____

____

____

____

____

Fait ou opinion ?

Stratégie **2**

Consignes : Lis toutes les phrases. Si la phrase exprime un fait, écris **F** sur la ligne qui la précède. Si elle exprime une opinion, écris **O.**

__________ **1.** La lune change de forme.

__________ **2.** Les serpents sont des animaux effrayants.

__________ **3.** La crème glacée au chocolat est la meilleure.

__________ **4.** La race des dinosaures est éteinte.

__________ **5.** Les zèbres ont des rayures blanches et noires.

__________ **6.** Les voitures rouges sont belles.

Fait et opinion

Stratégie **2**

Consignes : Dans les affirmations suivantes, souligne les mots qui te permettent de savoir que ce sont des opinions. Les mots clés peuvent t'aider à faire la différence entre un fait et une opinion.

1. Les carottes sont les meilleurs légumes qui soient.

2. Les chiens sont plus intelligents que les chats.

3. Nous nous rendrons probablement à l'Île-du-Prince-Édouard aujourd'hui.

4. Le hockey est mon sport préféré.

5. Les Cowboys de Dallas vont peut-être gagner le Super Bowl cette année.

6. Je pense qu'il y a de la pizza à la cafétéria aujourd'hui.

Écris deux phrases qui reflètent des opinions. Assure-toi d'insérer des mots clés dans chaque phrase.

1. ______________________________

____

____

____

____

2. ______________________________

____

____

____

____

La chasse aux faits

Stratégie **4**

Consignes : Écris deux faits que tu as lus dans un livre. Fais un dessin de chacun d'eux au dos de la feuille.

Un *fait* est une chose vraie.

Une *opinion* exprime un sentiment par rapport à quelque chose.

1. ______________________________

____

2. ______________________________

____

Que penses-tu du livre ? Écris ton opinion.

____

____

____

____

____

____

____

____

____

____

____

____

____

____

Lancer le dé

Stratégie 6

Consignes : Construis un dé et utilise-le pour jouer au jeu des faits ou des opinions.

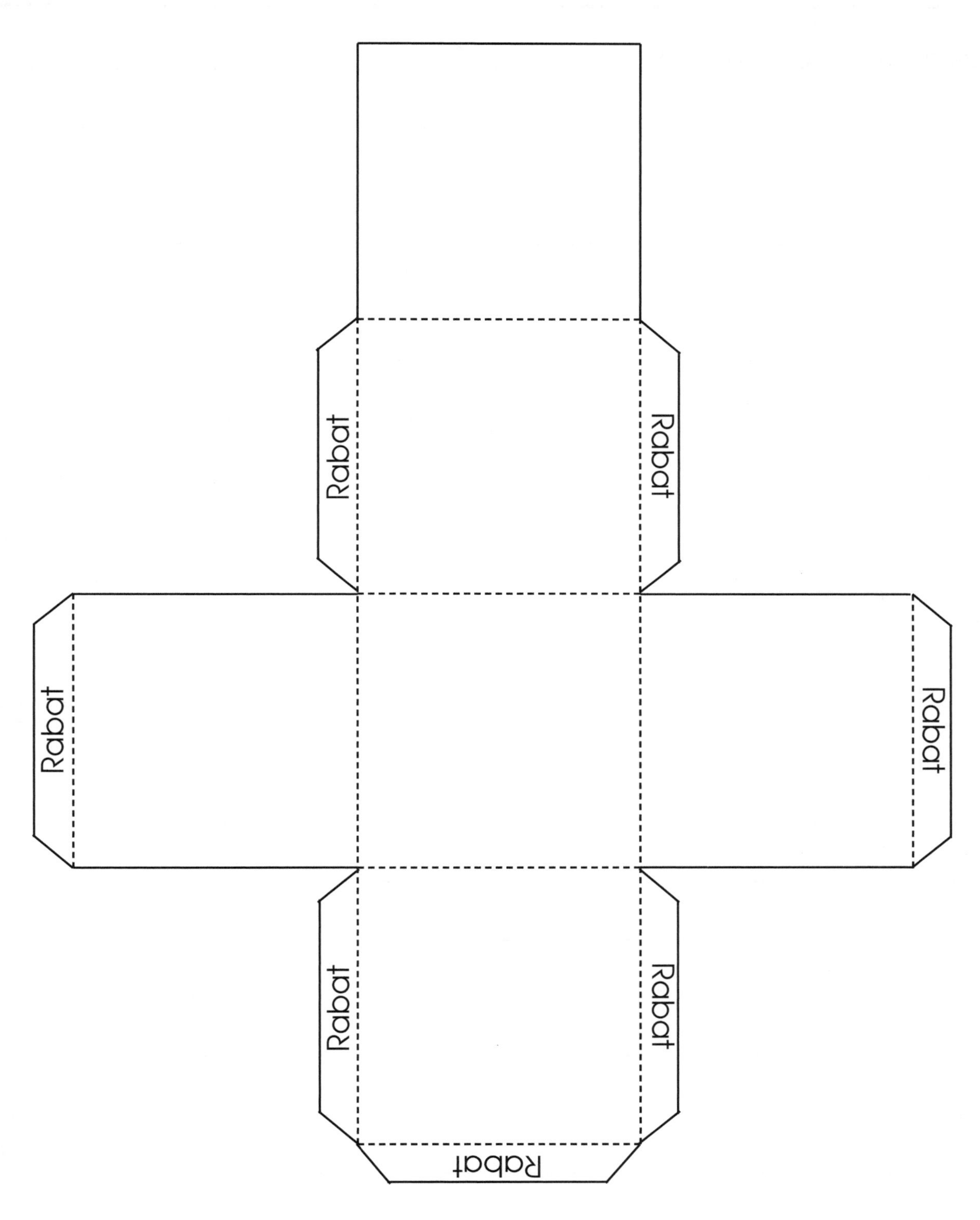

Les nouvelles !

Consignes : Écris un fait que tu as lu dans le journal et fais-en un dessin.

Le sujet de la nouvelle : ______________________________

L'objectif

Stratégie 8

Consignes : Cherche l'objectif de l'auteur et écris-le. Ensuite, justifie ta réponse.

Sujet : ____

L'objectif de l'auteur est de ____

____

____

____

____

____

____

____

____

Je le sais parce que ____

____

____

____

____

____

____

____

____

____

____

Mon journal du jour

Stratégie 9

Consignes : Écris les nouvelles de la journée. Il peut s'agir de nouvelles concernant la maison, l'école, la famille et les amis. Fais des dessins pour accompagner ton texte.

Le journal de ______________________

Un point de vue

Stratégie **11**

Consignes : Regarde l'image. Écris quelque chose au sujet de cette image du point de vue de la première personne ou de la troisième personne.

Le défi

Stratégie **14**

Consignes : Écris cinq affirmations. Assure-toi d'utiliser des faits et des opinions. Demande à ton camarade de les lire et d'écrire sur la ligne qui précède chaque affirmation **O** s'il s'agit d'une opinion ou **F** s'il s'agit d'un fait.

__________ **1.** ____

____

____

__________ **2.** ____

____

____

__________ **3.** ____

____

____

__________ **4.** ____

____

____

__________ **5.** ____

____

____

Quel est le problème ?

Stratégie **15**

Consignes : Utilise les cartes de discussion. Parle des problèmes représentés sur les trois images selon des points de vue différents.

La première personne/ la troisième personne

Stratégie 16

Consignes : Forme une équipe avec un camarade et répondez deux fois à la question. La première réponse doit refléter un point de vue à la première personne et la deuxième réponse, un point de vue à la troisième personne.

Question : ______________________________

Première personne	Troisième personne

Devine ! 1

Consignes : Quel est le message de l'auteur ? Remplis les boîtes en te servant de ton livre.

Indice : ______________________________

____

____

Indice : ______________________________

____

____

En me basant sur ces indices, je pense que l'auteur essaie de dire que…

____

____

____

____

____

____

____

____

____

Devine ! 2

Stratégie 17

Consignes : Écris le message de l'auteur. Donne les raisons qui justifient ta réponse.

Message de l'auteur : ____

____

____

____

____

____

____

____

____

Je le sais parce que…

____

____

____

____

____

____

____

____

Fais des liens !

Stratégie **18**

Consignes : Écris le message de l'auteur. Nomme des événements que ce message te rappelle et illustre tes idées.

Sujet : ______________________________

Message de l'auteur : ______________________________

____

Cela me rappelle ______________________________

____

____

Fais un dessin :

Mon côté/ton côté

Stratégie 20

Consignes : Avec un camarade, écrivez des arguments pour chaque côté d'un problème. Vous pouvez choisir d'écrire ensemble sur les deux côtés du problème ou plutôt d'écrire chacun pour un côté du problème.

Sujet : ______________________________

Mon côté	Ton côté
______________________	______________________
______________________	______________________
______________________	______________________
______________________	______________________
______________________	______________________
______________________	______________________
______________________	______________________
______________________	______________________
______________________	______________________
______________________	______________________
______________________	______________________
______________________	______________________
______________________	______________________
______________________	______________________
______________________	______________________
______________________	______________________

D'accord ou pas d'accord ?

Stratégie **21**

Consignes : Donne ta position par rapport à l'auteur. Justifie ta réponse.

Sujet : ____

Es-tu d'accord ou pas d'accord avec l'auteur ? Encercle ta réponse.

Je suis d'accord.

Je ne suis pas d'accord.

Donne trois raisons qui justifient ta réponse.

1. ____

____

____

____

2. ____

____

____

____

3. ____

____

____

____

CHAPITRE 6

Les modèles structuraux

Pour bien lire les textes informatifs, les élèves doivent faire appel à une variété de stratégies leur permettant de comprendre ces textes. Plusieurs stratégies que les élèves ont apprises dans les récits ne fonctionnent pas pour les textes informatifs. La plupart des textes informatifs ne comportent pas d'images accompagnant le texte, et leur format est généralement différent de celui des récits. Les termes et les modèles prévisibles que l'on trouve dans les récits en sont aussi absents. Les élèves ont dès lors affaire à un vocabulaire nouveau et inhabituel dans lequel ils retrouvent peu de mots connus. La structure d'un texte informatif leur est également étrangère. Les élèves doivent donc apprendre de nouvelles façons de comprendre ce qu'ils lisent. Chercher des modèles dans le texte est l'une de ces façons.

Les textes informatifs sont structurés suivant différents modèles. Cette structuration permet au lecteur de comprendre et de trouver les éléments d'information dans le texte. Il arrive que des éléments d'information simples soient présentés en premier lieu, servant ainsi de base à une information plus complexe. Dans d'autres cas, les éléments d'information sont basés sur des comparaisons et des contrastes. Dans d'autres cas encore, un problème ou une idée est posé puis différentes solutions ou stratégies sont fournies pour résoudre ce problème ou discuter cette idée. Les élèves qui connaissent les modèles structuraux des textes informatifs pourront les comprendre plus facilement.

Les différentes structures des textes informatifs

- L'ordre chronologique, logique ou séquentiel
- Les comparaisons et les oppositions
- Les liens de cause à effet
- Les propositions et les justifications
- La progression des idées

Les textes informatifs recourent à des modèles structuraux pour organiser et relier les idées entre elles. Certains textes informatifs combinent plusieurs modèles structuraux, ce qui est souvent le reflet d'un texte bien écrit. Un élève qui trouve le modèle structural utilisé dans un texte comprend plus facilement le texte mais, en plus, il le comprend à un niveau supérieur. Chaque modèle comporte des mots clés qui permettent de l'identifier.

L'ordre chronologique, logique ou séquentiel: Ce type de structure présente les éléments d'information de façon organisée. Les instructions sont données étape par étape. Certaines structures séquentielles sont plutôt narratives, mais ce n'est pas toujours le cas. Ce type de structure doit être lu comme un récit: les élèves commencent au début et lisent le texte jusqu'à la fin pour comprendre clairement les idées présentées. Les auteurs de textes informatifs présentent parfois les éléments d'information dans des catégories logiques. Cette organisation de l'information permet au lecteur de se rendre au sujet qui l'intéresse, sans forcément lire tout le texte. Souvent, chaque sujet est construit à partir d'un sujet abordé précédemment. Le lecteur doit alors revenir en arrière dans le texte pour trouver les éléments d'information qui lui apporteront les connaissances de base nécessaires pour comprendre le sujet qui l'intéresse. Voici quelques mots clés qui indiquent que le texte est construit selon cette structure:

premièrement	après
ensuite	quand
puis	finalement
au début	précédemment
avant	à la suite de

Les comparaisons et les oppositions: L'auteur qui utilise cette structure compare deux personnes, deux idées ou deux événements, et indique en quoi ils sont semblables ou différents. Généralement, l'auteur définit le sujet ou l'idée en structurant le texte par catégories. Cette structuration permet au lecteur d'identifier clairement le sujet et de comprendre en quoi les comparaisons sont significatives. L'auteur utilise également des descriptions pour mieux comparer certains éléments des deux sujets. Un texte de ce type comprend des mots tels que:

tandis que	contrairement à	le même
maintenant	même	cependant
mais	en outre	par opposition
plutôt que	d'autre part	considérant que
le plus	même si	différent de
l'un ou l'autre... ou		semblable à
comme		de façon similaire

Les liens de cause à effet: Cette structure est courante dans les textes informatifs. L'« effet » est le résultat de la « cause ». Initiez les élèves à cette structure en leur présentant les termes qui lui sont propres. Cette structure très souvent utilisée leur semblera plus simple à comprendre, car les liens de cause à effet sont courants dans les textes narratifs et de fiction. Voici quelques-uns des termes que les élèves peuvent chercher dans le texte:

étant donné	peut-être à cause de	si... alors	afin que
par conséquent	résultant de	donc	ce qui a entraîné
afin de	c'est pourquoi	depuis que	alors... donc

Les propositions et les justifications: Dans les textes informatifs, les auteurs présentent souvent un problème ou une idée, puis ils proposent une solution à ce problème ou ils défendent cette idée. Le problème ou l'idée doivent être établis clairement et contenir des détails complémentaires permettant au lecteur de comprendre la solution ou les justifications proposées. L'enseignant doit prendre le temps de montrer aux élèves pourquoi le problème, l'idée, la solution et la justification sont importants. Quand vous expliquez l'importance de cette structure, examinez les causes et les effets. De nombreux problèmes et solutions sont le résultat d'une relation de cause à effet. Dans un texte basé sur la structure problème–solution, on trouve des mots semblables à ceux utilisés dans la structure cause à effet. On y trouve également des termes comme ceux-ci:

l'objectif	en conclusion	cela prouve que
par conséquent	une solution	une raison pour
c'est pourquoi	le problème	proposer
le résultat	la question	un autre
de ce fait	les recherches démontrent	le plus important

La progression des idées : Un auteur qui utilise cette structure présente les idées ou les événements dans l'ordre dans lequel ils se présentent. Une idée est présentée au début du texte et elle est menée jusqu'à la fin en suivant une séquence logique d'événements. L'auteur recourt également aux détails pour défendre les concepts clés. Vous trouverez probablement ce genre de mots dans cette structure de texte :

premièrement	un autre	avant
ensuite	puis	après
enfin	de plus	finalement
deuxièmement	deuxièmement	

Les stratégies suivantes permettent de présenter les différentes structures des textes informatifs aux élèves.

Stratégie 1 : Les organisateurs textuels

Les organisateurs textuels et les mots repères permettent de comprendre comment un texte est structuré. Ils indiquent également la présence d'importants éléments d'information. Vous pouvez expliquer l'importance de ces mots aux élèves en agrandissant une page de texte qui présente plusieurs exemples d'organisateurs textuels ou de mots repères. Chaque élève dispose d'une copie du texte et d'un surligneur pour chercher les mots choisis dans le texte. Montrez plusieurs fois aux élèves comment utiliser cette stratégie à l'aide de papier grand format ou d'un rétroprojecteur avant de leur demander de trouver les mots par eux-mêmes. Vous pouvez également faire cette activité avec toute la classe en faisant un transparent du texte. Vous pouvez utiliser la feuille de travail de la page 122 pour cette stratégie.

Stratégie 2 : On mélange tout !

L'enseignant écrit les organisateurs textuels suivants sur des bandelettes de 15 centimètres : premièrement, deuxièmement, troisièmement, quatrièmement. Les élèves les lisent à voix haute. L'enseignant écrit également les différentes étapes d'une procédure simple sur des bandelettes plus longues. Les élèves lisent chaque phrase une à une. Ensuite, l'enseignant mélange les bandelettes comprenant les mots (organisateurs textuels) et celles comprenant les phrases (étapes d'une procédure) et remet à chaque élève une des bandelettes sur lesquelles sont écrits les organisateurs textuels. Chacun des élèves doit alors la placer à côté de l'étape de la procédure appropriée. Voici un exemple pour « Les étapes de la plantation d'une graine de haricot ».

Les étapes de la plantation d'une graine de haricot

Premièrement	Mets un peu de terre dans un pot.
Deuxièmement	Place la graine dans le pot et recouvre-la de terre.
Troisièmement	Arrose la graine.
Quatrièmement	Place le pot devant une fenêtre.

Stratégie 3 : Créer une ligne du temps

Les lignes du temps permettent aux jeunes élèves de bien comprendre ce qui s'est passé dans le texte et de savoir quand cela s'est passé. Sur un graphique linéaire ou une ligne du temps, il faut absolument indiquer et représenter les événements de façon séquentielle. L'enseignant peut utiliser une ligne du temps de différentes façons : il peut par exemple écrire les événements et demander aux élèves d'indiquer les dates, ou il peut écrire les dates et demander aux élèves d'indiquer les événements. Utilisez souvent cette stratégie, car il s'agit d'un concept nouveau pour les jeunes élèves. Vous trouverez un exemple de ligne du temps à la page 123.

Stratégie 4 : Les bandes dessinées

Choisissez une bande dessinée écrite suivant une séquence définie. Découpez les images. Demandez aux élèves de remettre les images dans le bon ordre. Ensuite, demandez-leur de justifier leur choix en quelques lignes. Demandez-leur également d'écrire les mots clés de la bande dessinée qui leur ont permis de trouver le bon ordre.

Stratégie 5 : La chaîne d'événements

Les diagrammes suivants permettent aux élèves de visualiser une séquence d'événements. Vous pouvez utiliser cette stratégie pour aider les élèves à décrire la séquence des événements dans un chapitre d'un livre informatif qu'ils sont en train d'étudier. Cette stratégie peut également être utilisée pour montrer une progression d'idées. Quand vous demandez aux élèves de présenter une séquence d'événements, assurez-vous qu'ils attribuent un numéro aux événements. Les élèves peuvent écrire les événements dans l'ordre ou bien faire des dessins pour représenter les idées dans l'ordre dans lequel elles apparaissent. Utilisez la feuille de travail de la page 124 pour cette activité.

Exemple :

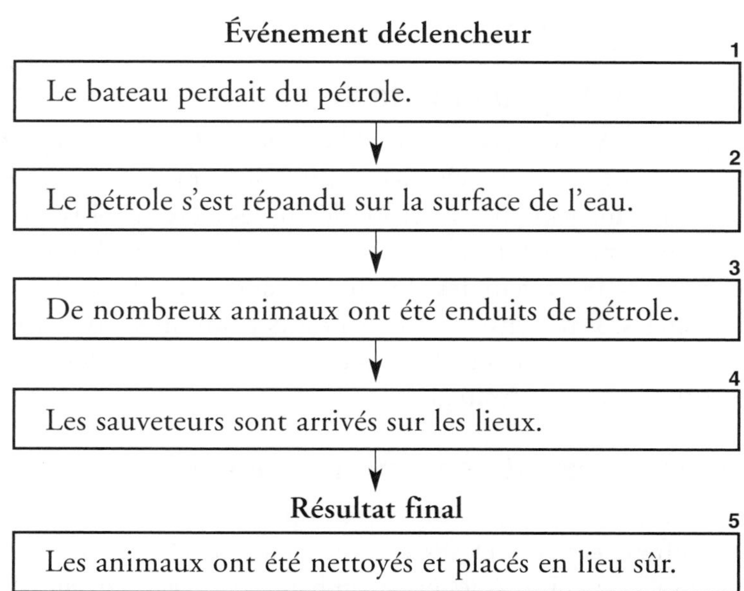

Stratégie 6 : Placer dans l'ordre 1

Vous pouvez utiliser une technique simple pour familiariser les élèves au vocabulaire rattaché aux ordres chronologique, logique et séquentiel. Demandez aux élèves d'énumérer verbalement les différentes étapes nécessaires pour préparer un sandwich, jouer à un jeu, tailler un crayon, etc. Au fur et à mesure que l'élève nomme les étapes, l'enseignant écrit les mots clés qui indiquent la séquence au tableau ou sur un papier grand format. Demandez aux élèves de souligner les mots repères afin de les mettre en évidence. Vous pouvez utiliser la feuille de travail de la page 125 pour cette stratégie. Voici un exemple :

Premièrement, je prends deux tranches de pain.

Deuxièmement, je prends le beurre d'arachide, la confiture et un couteau.

Troisièmement, j'étends le beurre d'arachide et la confiture sur le pain.

Quatrièmement, je place les deux tranches de pain l'une sur l'autre.

Cinquièmement, je mange le sandwich.

Stratégie 7 : Placer dans l'ordre 2

Après avoir lu le texte et en avoir discuté, l'enseignant demande aux élèves de lui nommer les faits de la leçon qu'ils pensent être les plus importants. L'enseignant note toutes les réponses sur des bandelettes. Il place ensuite chaque bandelette dans une pochette d'un diagramme à pochettes. Les élèves lisent toutes les bandelettes. L'enseignant appelle un élève et lui demande de placer les bandelettes dans l'ordre. Une fois que toutes les bandelettes ont été placées dans l'ordre, les élèves relisent les phrases pour s'assurer qu'elles sont dans le bon ordre. Si nécessaire, l'enseignant appelle un autre élève pour corriger l'ordre des bandelettes.

Stratégie 8 : Le diagramme de Venn

Le diagramme de Venn permet aux élèves de se faire une représentation visuelle d'éléments communs. Un diagramme de Venn est composé de deux cercles qui se chevauchent au centre. Au début, les élèves choisissent deux éléments à comparer et donnent à chacun des cercles le nom d'un de ces éléments. Ensuite, les élèves inscrivent les différences entre ces deux éléments dans chacun des cercles. Enfin, ils notent les points communs aux deux éléments dans l'intersection des deux cercles. Vous pouvez utiliser la feuille de travail de la page 126 pour cette stratégie.

Stratégie 9 : Les points communs et les différences

Voici une autre stratégie qui permet de comparer deux éléments et d'en faire ressortir les différences. Les élèves commencent par choisir deux éléments à comparer et ils les notent dans les ovales en haut de la page. Ensuite, ils trouvent quatre points communs puis quatre différences entre les deux éléments qu'ils comparent. Vous pouvez utiliser la feuille de travail de la page 127 pour cette stratégie.

Exemple :

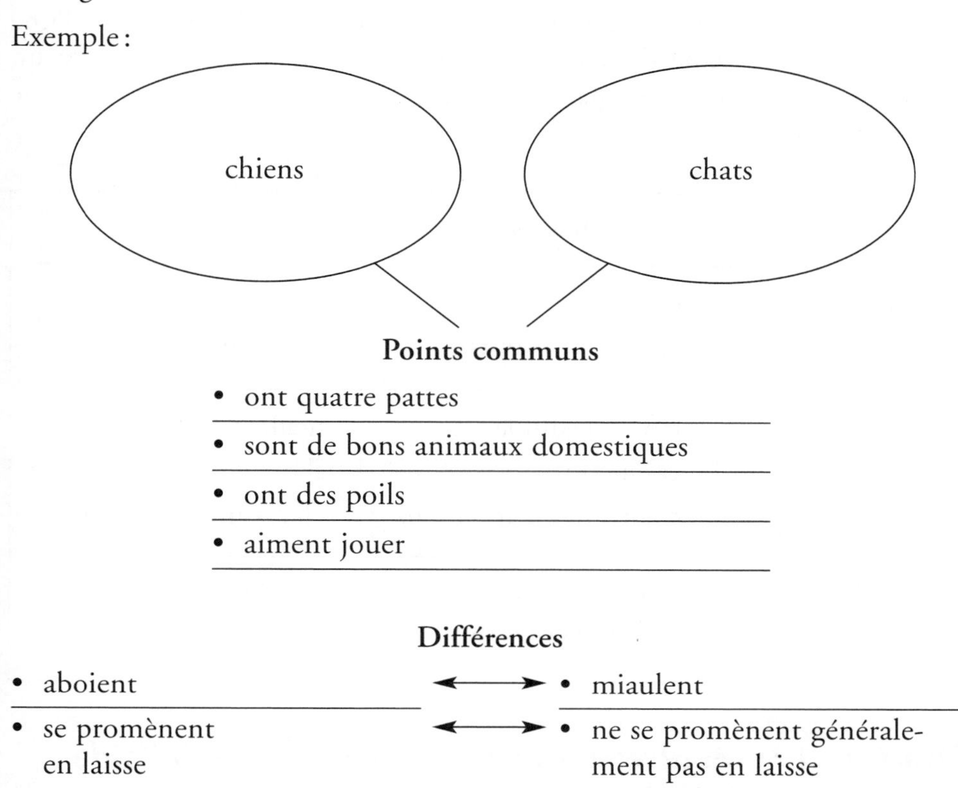

• aboient	• miaulent
• se promènent en laisse	• ne se promènent généralement pas en laisse
• aiment généralement jouer dans l'eau	• n'aiment généralement pas jouer dans l'eau
• agitent la queue pour montrer qu'ils sont contents	• ronronnent pour montrer qu'ils sont contents

Stratégie 10 : Le tableau de comparaison en H

Voici encore une stratégie qui permet de comparer deux éléments et d'en faire ressortir les différences. L'utilisation de plusieurs organisateurs graphiques permet aux élèves de voir les choses de différentes façons. L'organisateur graphique de la page 128 a la forme d'un « H ». Les élèves commencent par choisir deux éléments à comparer et ils les écrivent au-dessus des deux jambes du « H ». Ensuite, ils écrivent toutes les différences entre les deux éléments dans chaque jambe. Enfin, ils notent les points communs aux deux éléments dans la section centrale.

Stratégie 11 : Utiliser un tableau pour comparer et opposer deux éléments

On peut utiliser des tableaux pour comparer et faire ressortir les différences entre deux éléments, deux actions ou deux événements. Dans la colonne de gauche, l'enseignant écrit les points de comparaison des deux éléments, événements ou sujets étudiés. Dans la colonne centrale et dans la colonne de droite, l'enseignant note, en titre, les éléments à comparer. Ensuite, les élèves nomment des faits qui peuvent être justifiés au sujet des éléments qu'ils comparent. Les justifications peuvent provenir d'une page de l'histoire, d'une encyclopédie ou même d'un film portant sur le sujet. Vous trouverez un exemple de tableau de comparaison à la page 129. Voici un exemple de tableau rempli :

	Baseball	**Soccer**
Équipement	bâton gants balle buts	protège-tibias ballon de soccer
Vêtements	tenue d'équipe casquette chaussures à crampons	maillot d'équipe short chaussures à crampons
Terrains	terrain en losange avec trois buts et un marbre	terrain avec deux filets pour les buts

Stratégie 12 : Montrer les liens de cause à effet à l'aide d'une chaîne causale

Une chaîne causale est un organisateur graphique qui permet aux élèves de « voir » les relations entre une cause et les effets qui en découlent. Les élèves remplissent la chaîne en se référant à un texte informatif lu en classe. L'enseignant doit montrer cette stratégie plusieurs fois avant que les élèves soient capables de l'utiliser de façon autonome. Vous trouverez un modèle de chaîne causale à la page 130. Voici un exemple :

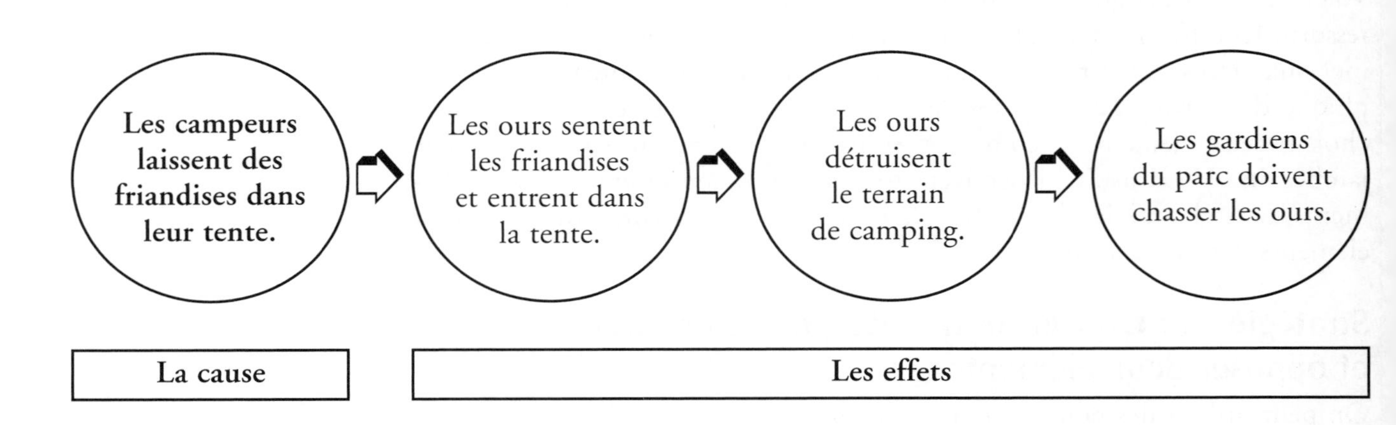

Stratégie 13 : Le casse-tête « cause à effet »

Utilisez le modèle de la page 131 pour analyser les causes et les effets. Les élèves découpent les morceaux et reconstituent les casse-têtes en trouvant les causes et les effets correspondants. Vous pouvez également remettre une feuille vierge aux élèves et leur demander de trouver les causes et les effets dans leur texte informatif. Ils doivent alors créer un casse-tête, le défaire, puis demander à un camarade de le reconstituer. Ce dernier essaie de faire correspondre les causes et les effets.

Stratégie 14 : Le poisson et ses arêtes

Cherchez les causes et les effets dans des textes informatifs et présentez-les sur l'organisateur graphique en forme de poisson de la page 132. Les élèves énumèrent les effets sur l'arête centrale et les causes sur les arêtes secondaires partant de cette arête centrale. Les élèves peuvent ensuite colorier le poisson, le découper et l'afficher sur un babillard.

Stratégie 15 : Justifier ses idées

Commencez par trouver un texte informatif qui présente un problème ou une idée et qui propose une solution à ce problème ou différentes façons de défendre cette idée. Lisez le texte avec les élèves. Remettez-leur une copie du texte afin qu'ils puissent le relire en dyades. Ils doivent trouver l'idée ou le problème exposé dans le texte. Ensuite, ils ont à trouver les affirmations qui proposent une solution ou défendent l'idée. Les élèves doivent souligner ou surligner les affirmations, puis remplir la page 133.

Stratégie 16 : J'ai besoin d'une justification !

Utilisez la feuille de travail de la page 134 pour cette activité. Les élèves doivent lire un extrait de texte informatif structuré sur le modèle proposition–justification. Cette activité peut être réalisée avec toute la classe, puis en petits groupes, en dyades et, finalement, individuellement. Les élèves écrivent l'idée ou le problème posé dans l'ovale central. Ensuite, ils écrivent les idées complémentaires dans les autres ovales, en précisant le numéro de la page où ils les ont trouvées.

Stratégie 17 : Dessiner dans l'ordre

Cette stratégie propose aux élèves d'expliquer la progression des idées d'un texte à l'aide de dessins. Les élèves doivent trouver, dans l'ordre, les idées principales du texte. Ensuite, ils doivent reproduire chaque idée à l'aide d'un dessin dans l'ordre dans lequel elles se présentent. Utilisez la page 135 pour cette activité. En plus, les élèves doivent indiquer sous chaque dessin les organisateurs textuels comme « premièrement » « deuxièmement », « troisièmement », « ensuite », « puis », « finalement », etc. Les premier et dernier organisateurs textuels sont déjà écrits sur la feuille.

Les organisateurs textuels

Stratégie 1

Consignes : Surligne les organisateurs textuels et les mots repères utilisés dans le texte. Coche les mots dans les listes ci-dessous.

Titre du livre : ____________________

Chronologie		
❑ 1, 2, 3, etc. (numérotation) ❑ avant ❑ finalement	❑ ensuite ❑ après	❑ puis ❑ en dernier lieu

Comparaisons et oppositions		
❑ pendant que ❑ la plupart ❑ comme	❑ ou ❑ la même chose	❑ différent ❑ contrairement

Liens de cause à effet		
❑ parce que ❑ ainsi ❑ les raisons pour lesquelles	❑ à cause de ❑ par conséquent	❑ étant donné que ❑ donc

Questions et réponses	
❑ réponses aux questions qui, quoi, quand, où, pourquoi, combien	❑ il se pourrait que ❑ le meilleur

La structure utilisée dans le texte est ____________________

____

La ligne du temps

Stratégie 3

Consigne : Sur la ligne du temps, écris les événements dans l'ordre dans lequel ils se sont produits.

Sujet : ____________________

Observations, événements ou faits marquants

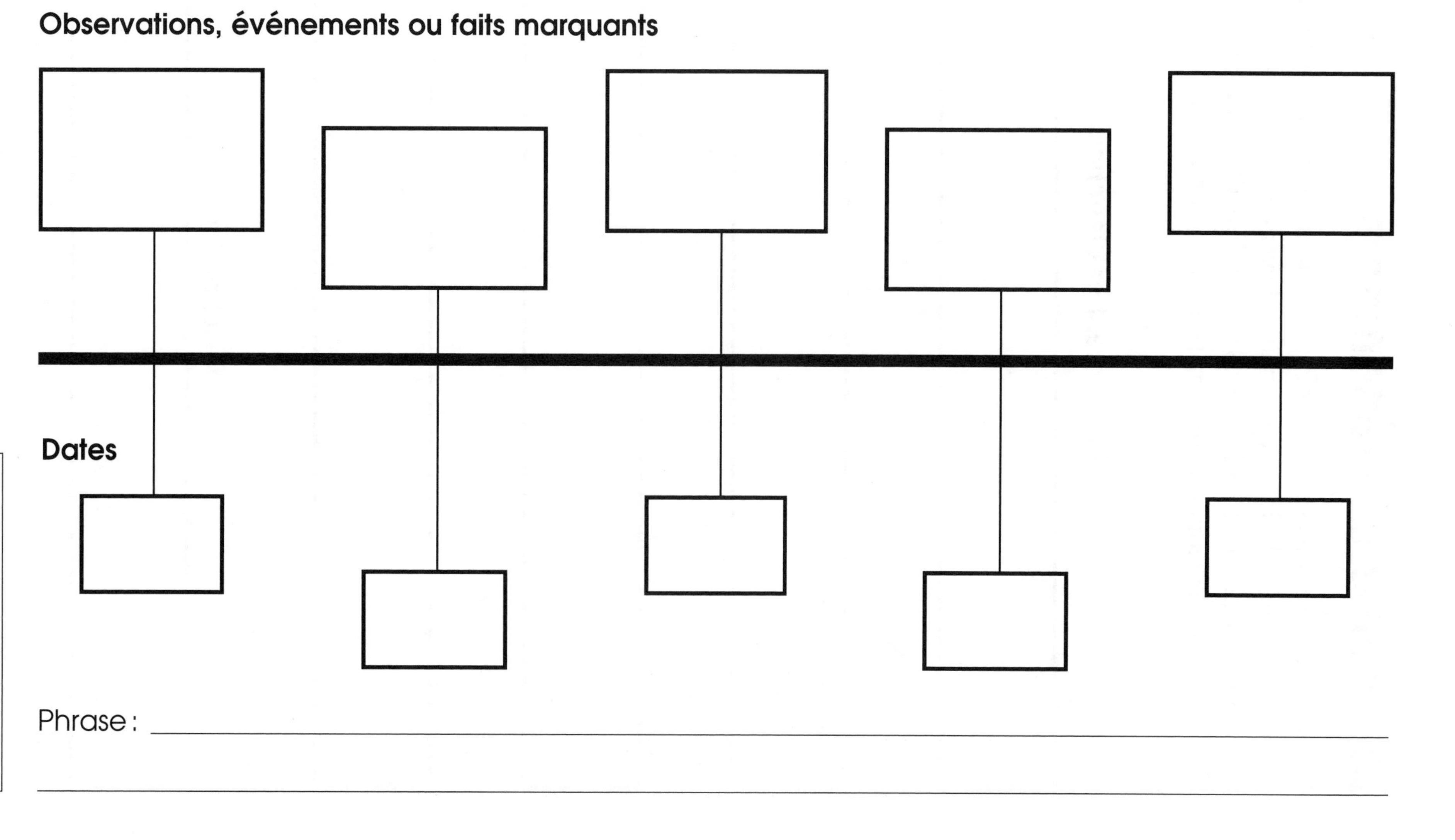

Dates

Phrase : ____________________

____

La chaîne d'événements

Stratégie 5

Consignes : Commence par choisir l'événement déclencheur, c'est-à-dire l'événement qui a déclenché la chaîne d'événements. Écris cet événement dans la première boîte, tout en haut de la page. Ensuite, énumère les événements dans l'ordre dans lequel ils se sont produits, en terminant par le résultat final tout en bas de la page.

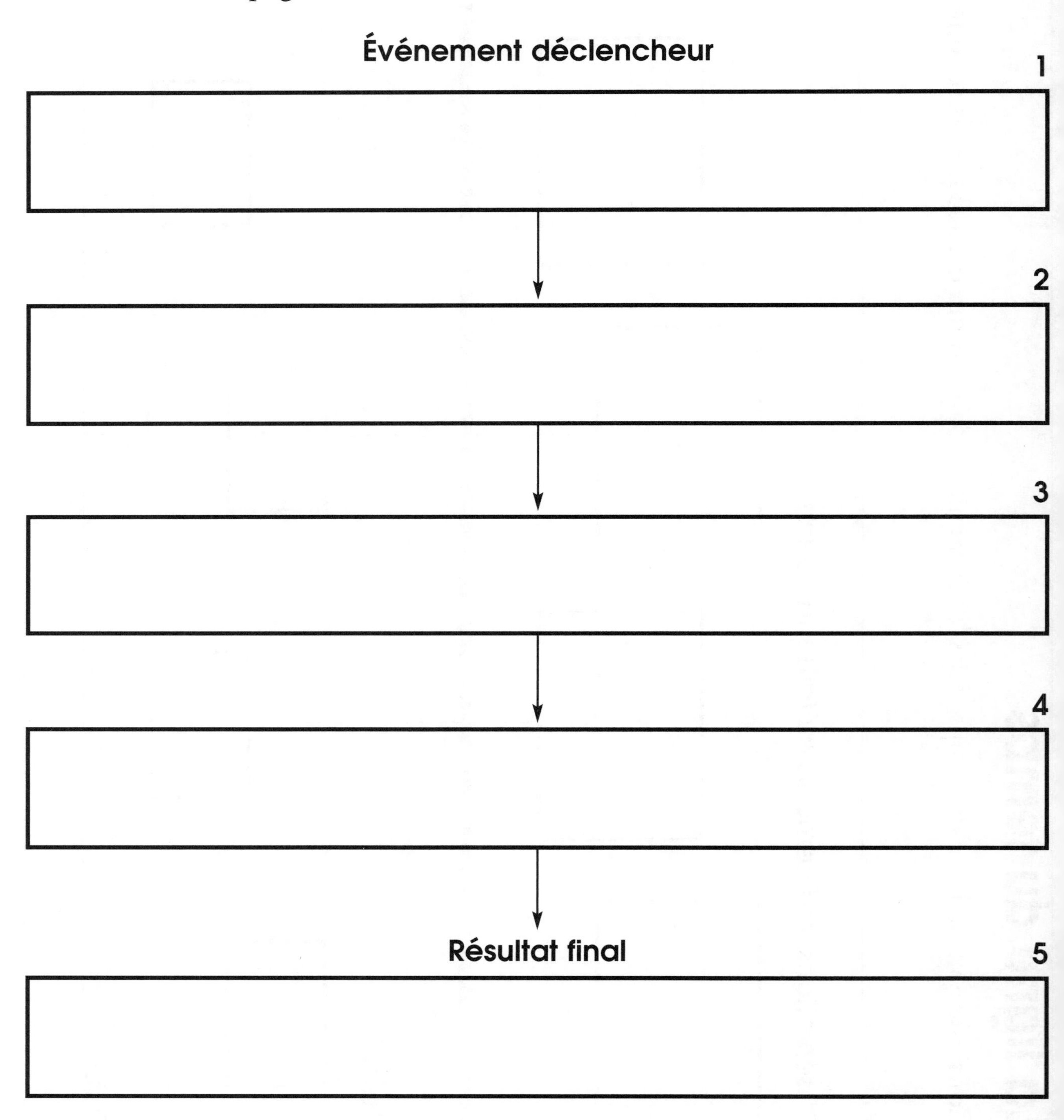

Placer dans l'ordre

Stratégie 6

Consigne : Écris les différentes étapes d'une tâche en te basant sur les mots repères.

Premièrement, ______________________________

____

____

____

Deuxièmement, ______________________________

____

____

____

Troisièmement, ______________________________

____

____

____

Quatrièmement, ______________________________

____

____

____

Enfin, ______________________________

____

____

____

Stratégie 8

Le diagramme de Venn

Consigne : Écris deux choses dans chaque section du diagramme.

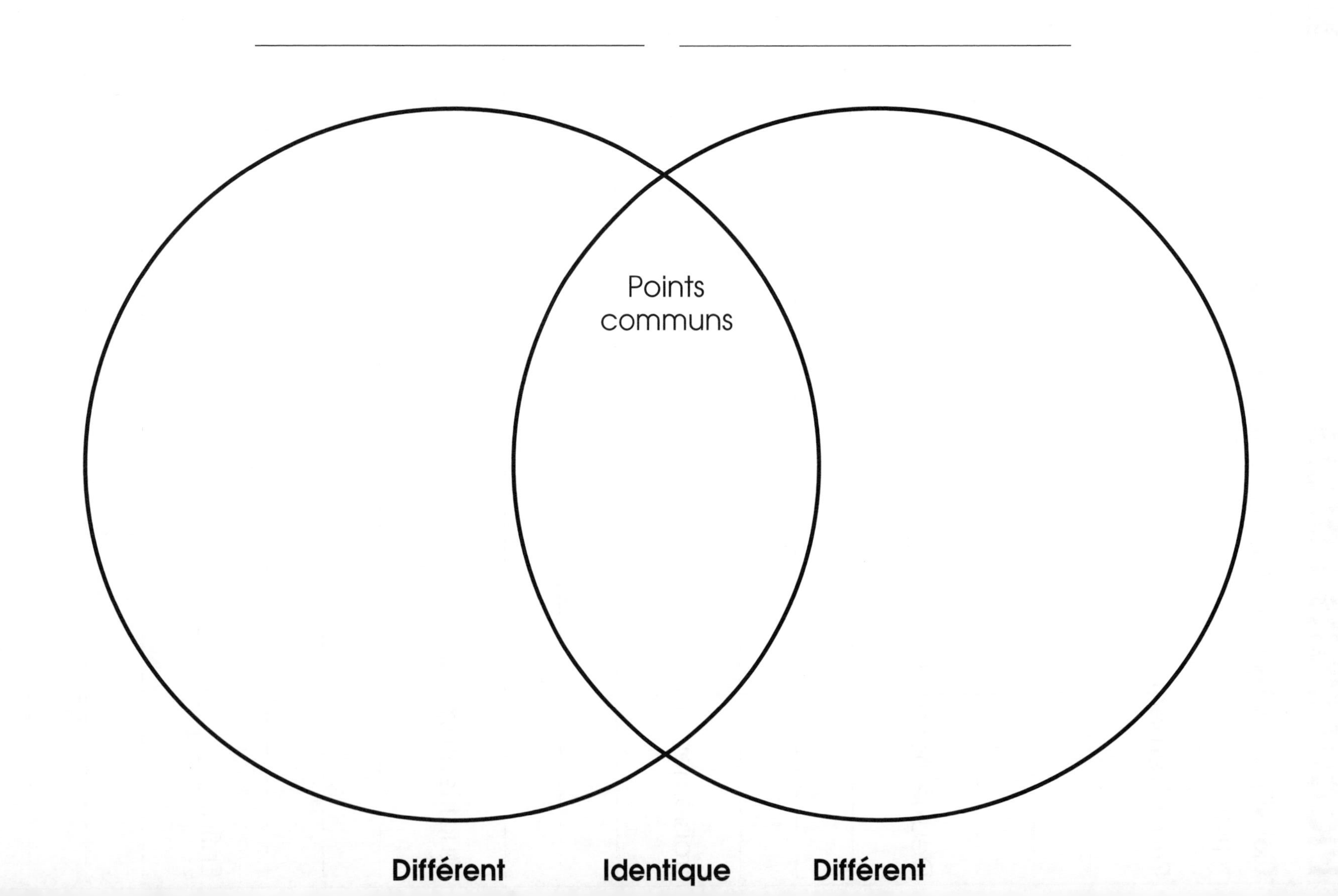

Les points communs et les différences

Stratégie 9

Consignes : Écris les deux choses que tu veux comparer et opposer dans les ovales. Écris tous leurs points communs dans la colonne **Points communs.** Ensuite, écris toutes leurs différences dans les deux colonnes du bas.

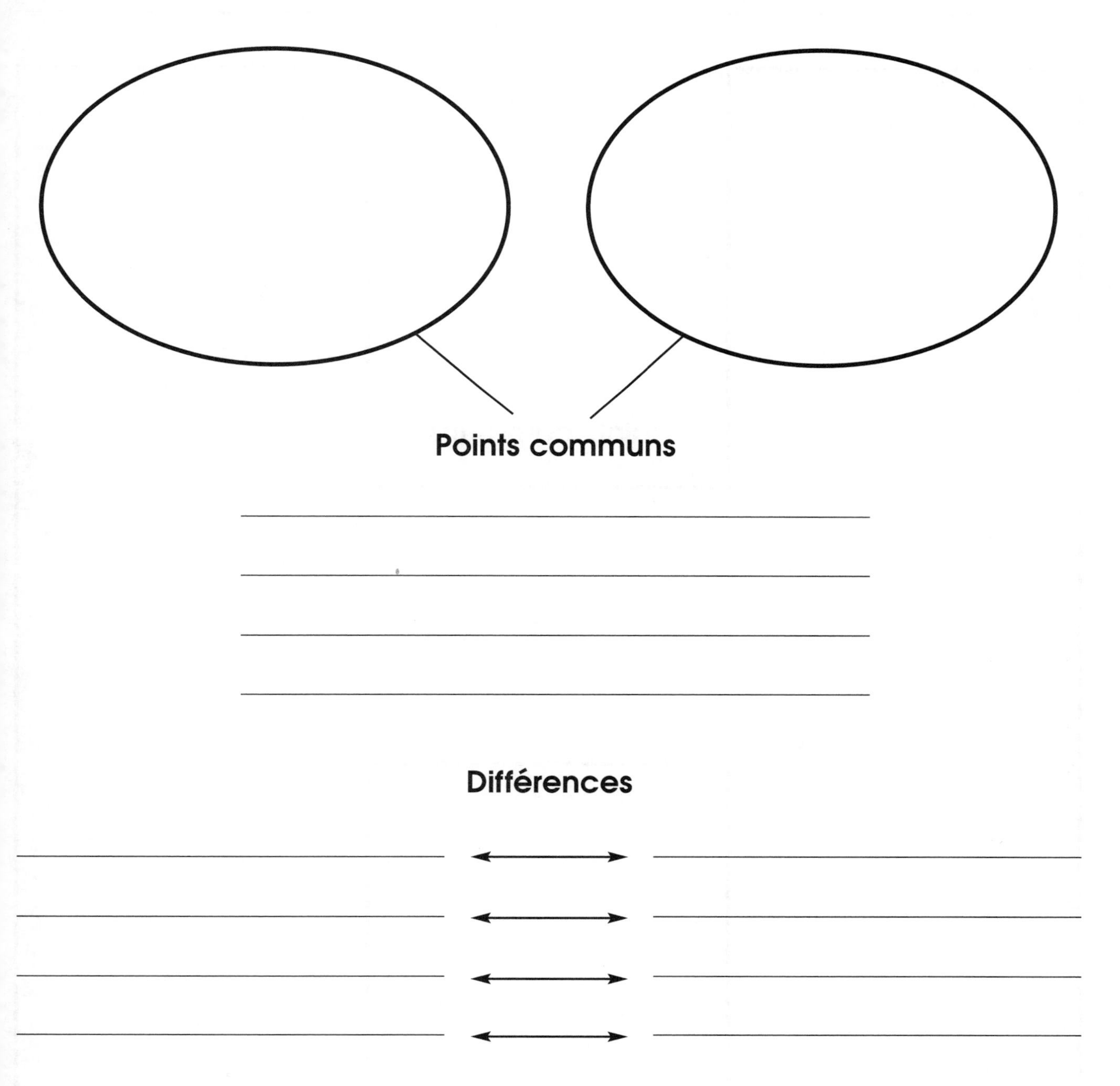

Le tableau de comparaison en H **Stratégie 10**

Consignes : En haut des deux jambes du H, écris les deux choses que tu veux comparer et opposer. Dresse ensuite une liste des différences dans les jambes du H. Note enfin les points communs dans la section centrale.

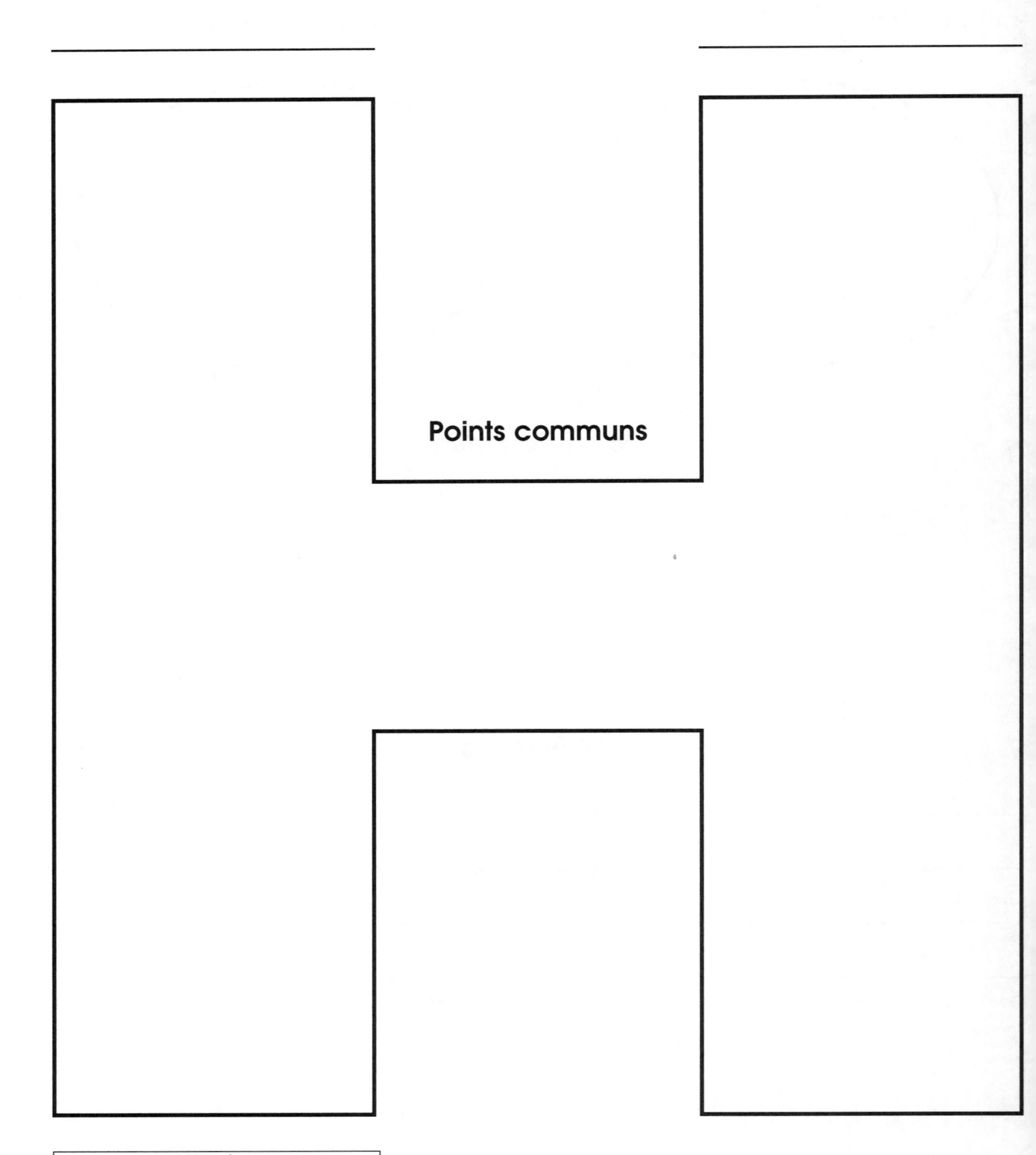

Comparer et opposer

Stratégie 11

Consigne : Remplis le tableau de comparaison.

Sujet : ______________________________

Éléments à comparer → / Sujets à comparer		

Les liens de cause à effet

Consigne : Complète la chaîne causale.

Sujet : ______________________________

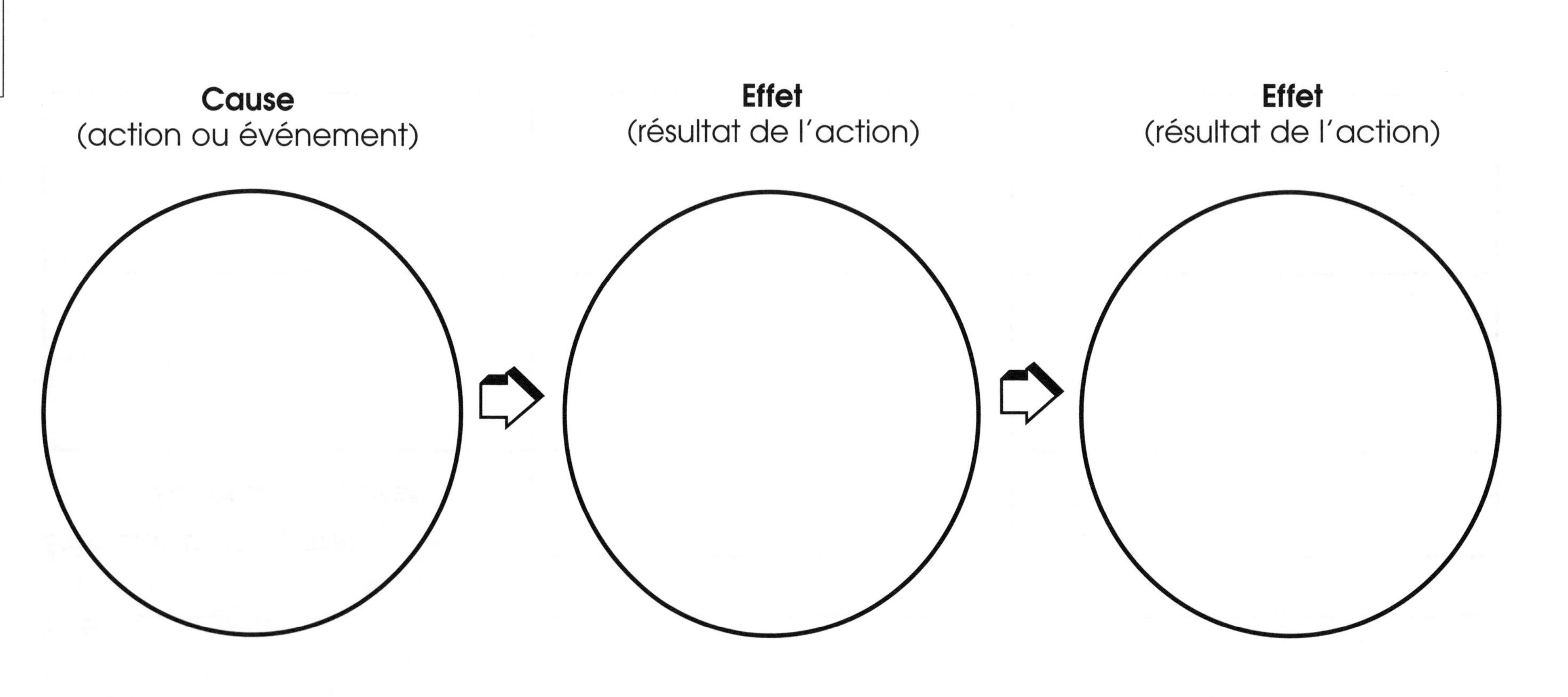

Le casse-tête « cause à effet »

Consignes : Lis toutes les causes et les effets que ton enseignant a notés sur les pièces du casse-tête. Découpe les pièces et rassemble-les correctement en unissant chaque cause à l'effet correspondant.

Sujet : ______________________________

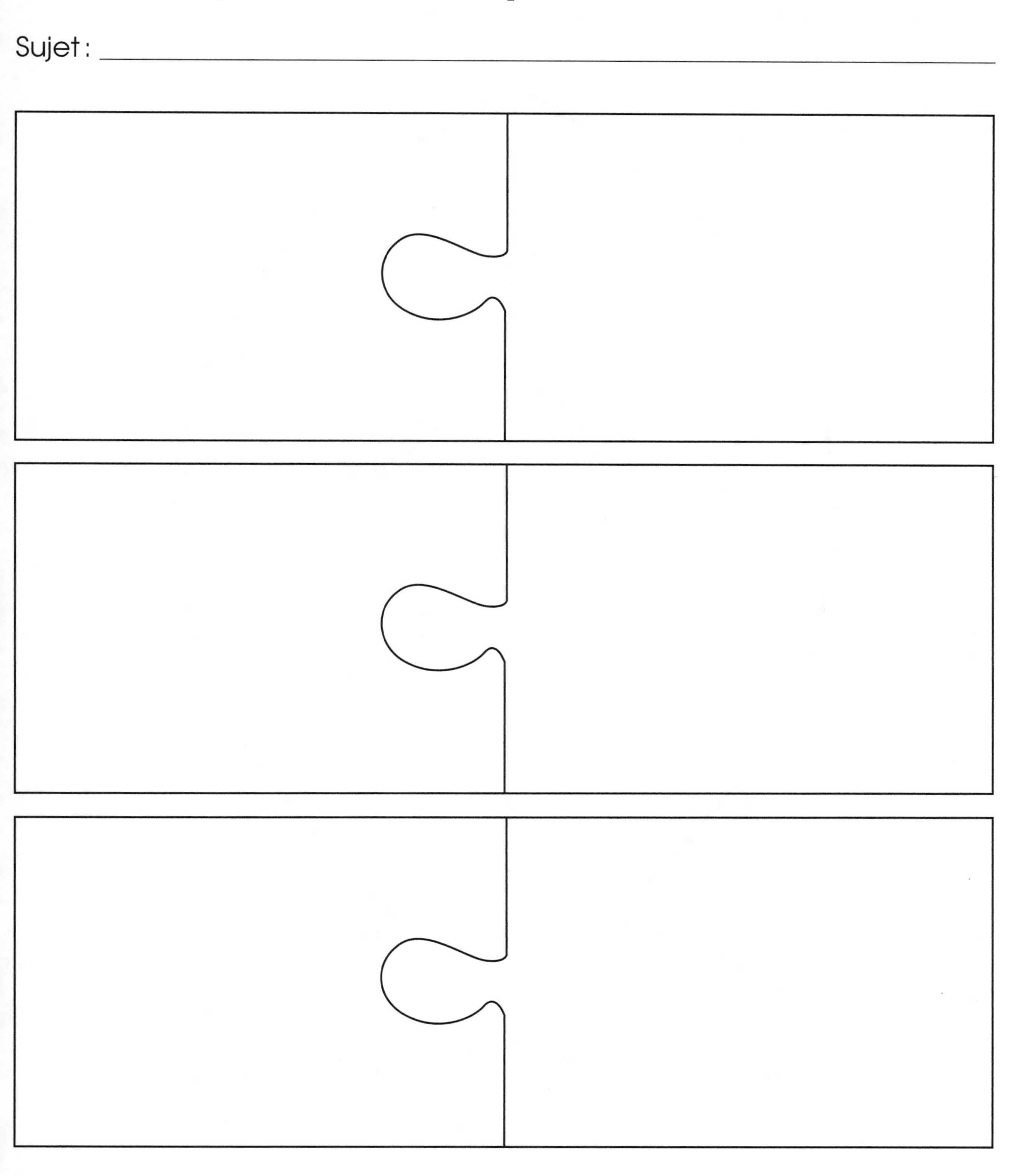

Le poisson et ses arêtes

Stratégie 14

Consignes : Choisis l'effet ou l'événement le plus important de ton texte informatif. Note-le sur la ligne intitulée **Effet.** Ensuite, cherche les quatre choses les plus importantes qui ont causé cet effet. Note-les sur les lignes intitulées **Cause 1, Cause 2, Cause 3** et **Cause 4.**

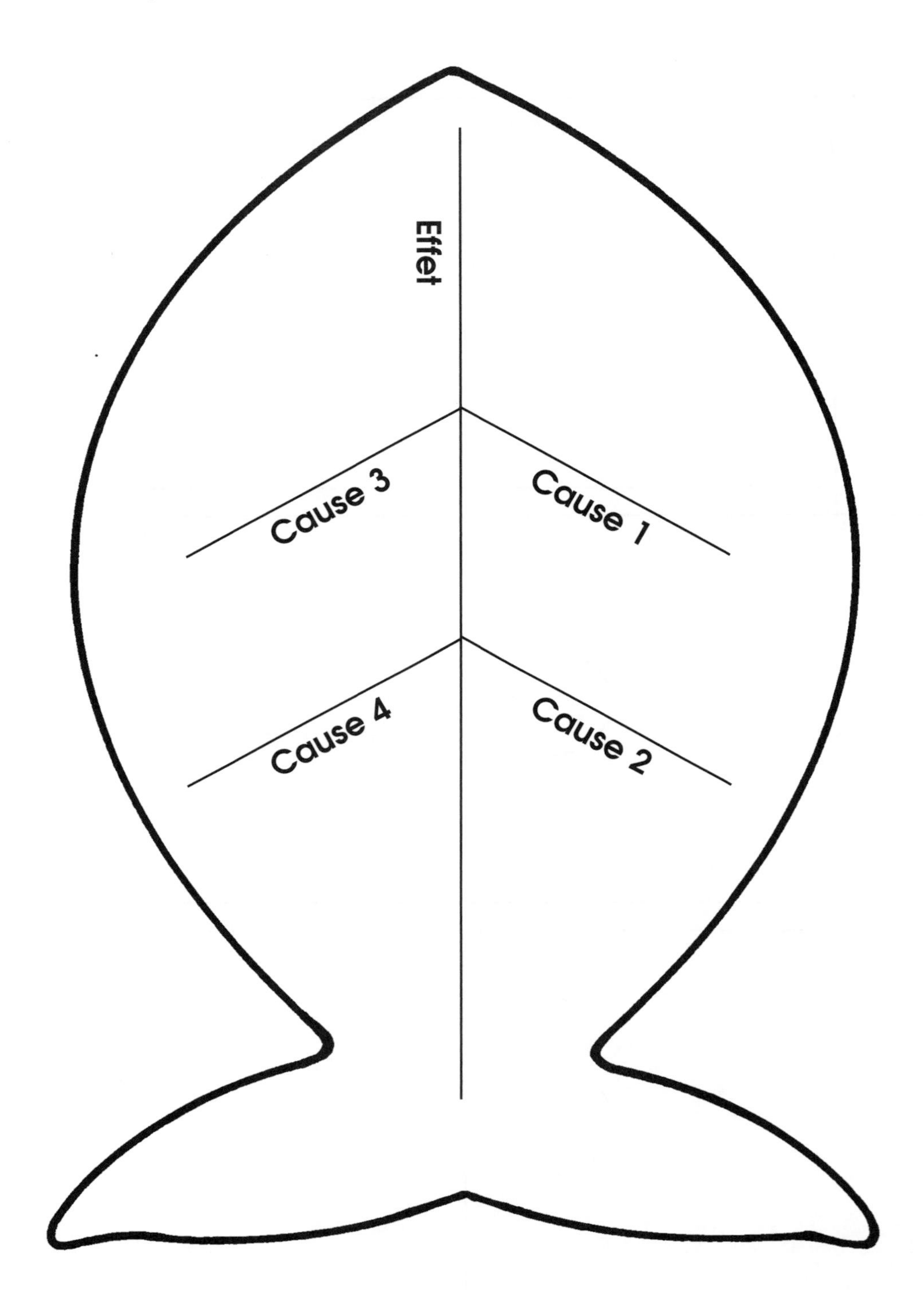

Justifier ses idées

Stratégie 15

Consignes : Note des éléments d'information du texte. Premièrement, cherche l'idée ou le problème principal et écris-le sur la première ligne, intitulée Proposition énoncée. Ensuite, trouve dans le texte trois idées ou solutions qui justifient cette proposition et écris-les sur les lignes en dessous. Si tu as besoin de plus d'espace, utilise le verso de la feuille.

Proposition énoncée : ______________________________

____

____

____

Justification :

1. ______________________________

____

____

____

2. ______________________________

____

____

____

3. ______________________________

____

____

____

J'ai besoin d'une justification ! Stratégie 16

Consignes : Dans l'ovale du centre, intitulé **Proposition,** écris l'idée ou le problème présenté dans ton texte informatif. Ensuite, dans tous les ovales intitulés **Justification,** écris les idées ou les solutions justificatives. Assure-toi de préciser le numéro de la page où tu as trouvé la justification.

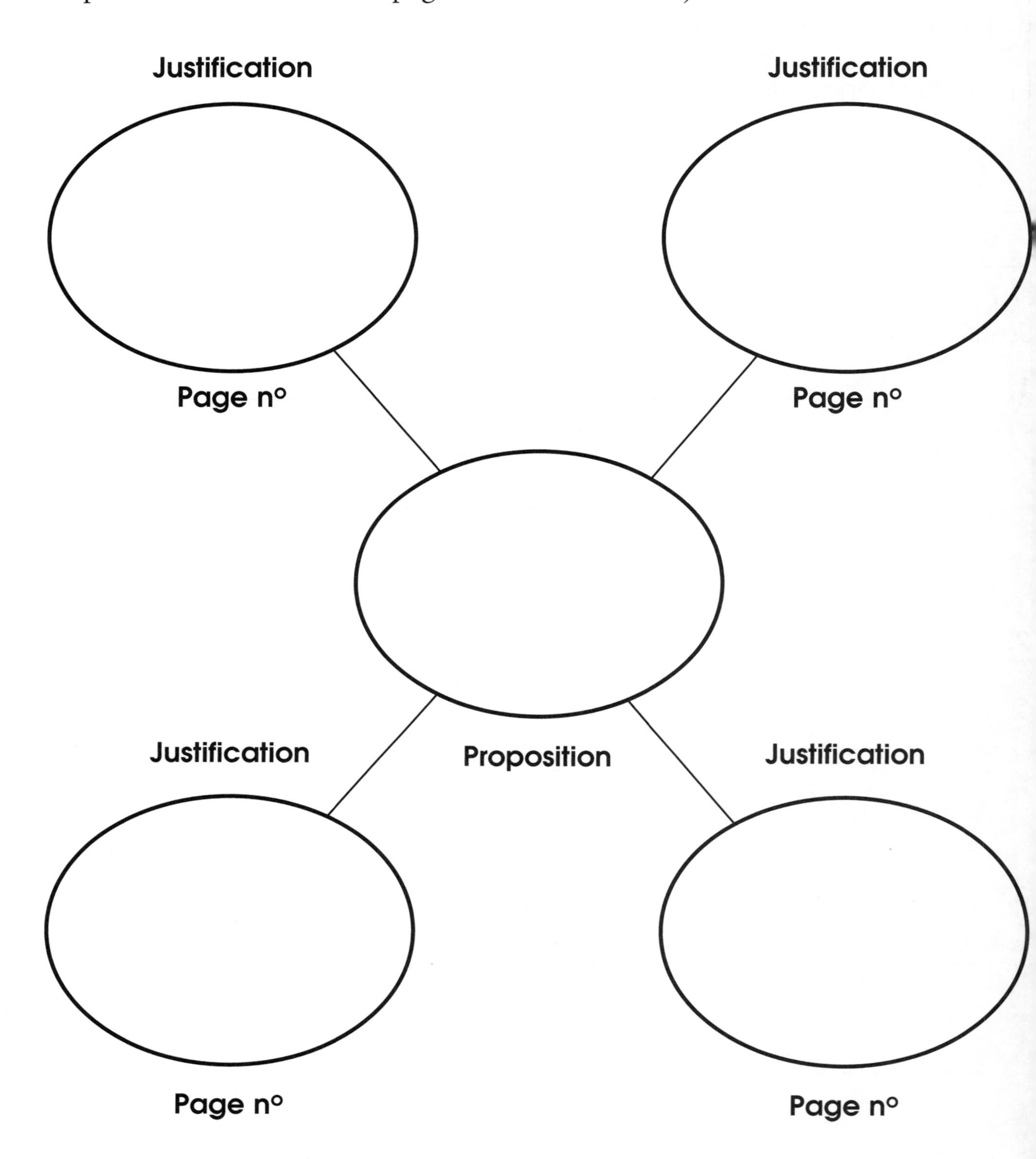

Dessiner dans l'ordre

Consignes : Premièrement, décide de l'ordre dans lequel apparaissent les idées du texte informatif que tu as lu. Ensuite, en te servant des boîtes ci-dessous, dessine chaque idée dans l'ordre en partant de la première. Écris des mots repères sous les boîtes qui n'en comprennent pas encore ; les organisateurs textuels de la première et de la dernière boîte ont été écrits pour toi.

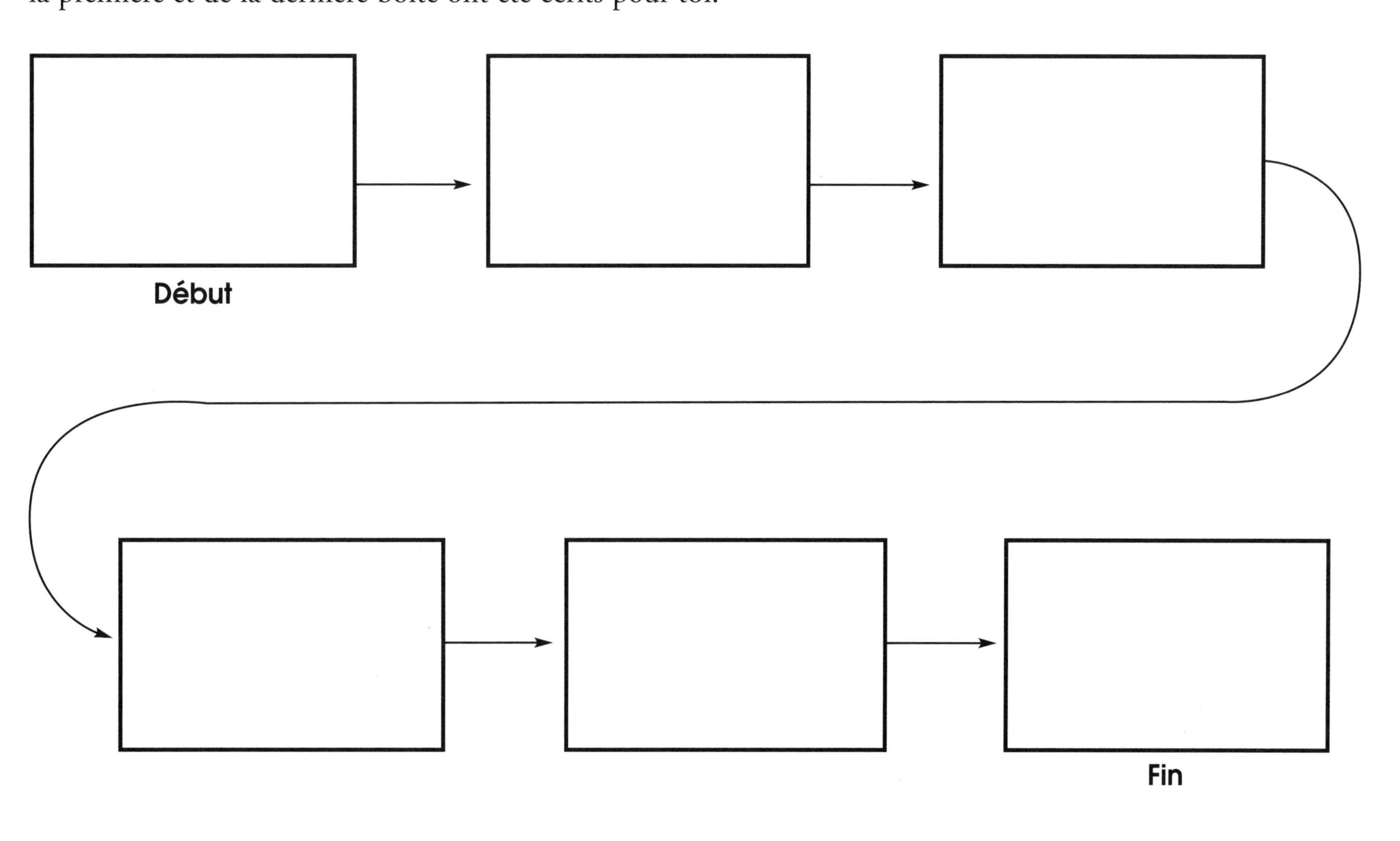

CHAPITRE 7

Utiliser des organisateurs textuels

Les organisateurs textuels permettent de présenter les éléments d'information contenus dans un texte en suivant un ordre donné. La plupart des textes informatifs présentent l'information de plusieurs façons, et ce, grâce à des index, des tables de matières, des titres de chapitres et des intertitres qui permettent aux élèves de trouver des éléments précis d'information. Quand ils lisent un exposé ou un texte informatif, les élèves doivent classer, expliquer et trouver des relations dans le texte. Ils ont ainsi avantage à les lire lentement et posément afin de comprendre les concepts qui y sont présentés.

Les élèves se trouvent en outre devant plusieurs nouveaux concepts et un vocabulaire spécialisé. Ils doivent également interpréter des supports graphiques tels que des diagrammes, des cartes et des tableaux. Les diagrammes remplacent souvent les images qui accompagnent généralement le texte narratif. Les textes informatifs comprennent aussi des intertitres et des mots en caractères gras, une structure nouvelle pour les élèves. Pour mieux comprendre ce genre de texte, les élèves doivent savoir comment reconnaître l'ensemble de ces caractéristiques.

Les caractéristiques des textes informatifs

Nous avons vu, dans le chapitre précédent, que les textes informatifs pouvaient reposer sur différentes structures. De la même manière, ces textes possèdent plusieurs caractéristiques. Le lecteur capable de reconnaître les caractéristiques d'un texte saura ce qu'il doit chercher pour mieux comprendre le texte qu'il est en train de lire.

Les caractéristiques scriptovisuelles: Les caractéristiques scriptovisuelles permettent au lecteur de reconnaître le modèle d'un texte informatif, car ils dirigent le lecteur dans l'organisation du texte. Des recherches ont démontré qu'un lecteur qui connaît le modèle d'un texte le comprend plus facilement. Parmi les caractéristiques utilisées, on peut citer les titres de chapitres, les sous-titres, les intertitres, la taille des caractères, les caractères en italique et en gras, les puces, le texte coloré, les mots repères, les phrases récapitulatives et les locutions.

Les titres de chapitres permettent au lecteur de s'orienter dans les catégories utilisées par l'auteur pour structurer son livre; les titres de chapitres définissent également la séquence du texte. Les titres, les sous-titres et les intertitres aident le lecteur à trouver des éléments d'information importants qui peuvent être eux-mêmes présentés dans différents caractères, en italique, en gras, à l'aide de puces et de texte coloré. L'enseignant doit expliquer aux élèves que l'auteur utilise ces caractéristiques pour signaler au lecteur que ces éléments d'information sont importants.

Les étiquettes et les légendes qui accompagnent les illustrations apportent également une information importante au lecteur.

Les mots et les locutions repères indiquent au lecteur qu'il doit être attentif. Quand il voit ces locutions, le lecteur doit prendre note de l'information présentée. Entre autres mots et locutions repères, on peut citer: *par exemple, en conclusion, c'est pourquoi, le plus important, d'autre part, en fait, mais* et *comme.*

Les titres, les sujets et les phrases récapitulatives sont autant d'éléments de la structure et du format général du texte. Les sous-titres et les intertitres permettent quant à eux de subdiviser l'information présentée dans les textes informatifs. Chaque paragraphe de chaque section traite d'un aspect du sujet. Grâce aux subdivisions logiques du texte, l'élève peut choisir les sections dont il a besoin et qu'il souhaite approfondir. Les phrases récapitulatives sont des caractéristiques très importantes des textes informatifs. Situées à la fin des paragraphes ou des chapitres, elles reprennent succinctement les idées et les concepts importants présentés dans le paragraphe ou le chapitre. Les élèves peuvent donc utiliser des organisateurs textuels pour trouver rapidement des éléments d'information sans avoir à lire la page au mot près.

Les représentations graphiques: Les représentations graphiques exposent l'information de façon précise. On peut citer par exemple les diagrammes, les esquisses, les cartes, les tableaux, les graphiques, les tables, les dessins ou les vues écorchés, les lignes du temps, les organigrammes et autres figures. Pour comprendre l'information qui se trouve dans les représentations graphiques, les élèves doivent cependant savoir comment les interpréter. Les enseignants sont donc tenus de s'assurer que les élèves savent interpréter les supports graphiques qui se trouvent dans le texte qu'ils sont en train de lire. Ainsi, les élèves apprennent à lire l'information qui se trouve dans des représentations visuelles telles que les photos, les illustrations, les tableaux, les diagrammes et les caractères gras.

Les représentations graphiques servent à attirer l'attention des élèves et à améliorer leur compréhension du sujet à la lecture. Elles permettent en effet aux élèves de voir que ces éléments d'information sont importants. Ces caractéristiques jouent donc un rôle primordial dans l'amélioration de la compréhension à la lecture et elles peuvent être utilisées avant, pendant et après la lecture pour montrer les liens qui existent entre les mots qui se trouvent sur la page et l'ensemble de l'idée présentée.

Les illustrations peuvent être des dessins ou des photos noir et blanc. Certaines photos très colorées captent l'attention du lecteur. La plupart des dessins sont accompagnés de légendes qui expliquent l'image. Il est important de s'assurer que les illustrations qui accompagnent les textes informatifs sont correctes et authentiques, car elles véhiculent le sens du texte. Les élèves doivent également lire les légendes qui accompagnent ces représentations graphiques, car elles fournissent elles aussi des éléments d'information importants. Un élève peut apprendre autant d'information en regardant une photo et en lisant une légende qu'en lisant une page entière du texte.

Avant de lire un nouveau texte avec un élève, prenez le temps de le regarder avec lui et de le laisser s'habituer aux représentations graphiques qui s'y trouvent. Grâce à cela, il pourra activer ses connaissances antérieures sur le sujet, il aura une idée de ce qu'il s'apprête à apprendre et il portera attention aux éléments scriptovisuels et aux représentations graphiques du texte.

Stratégie 1 : Le graphique en T des caractères

Pour présenter le concept graphique et évaluer ce que les élèves connaissent à ce sujet, vous pouvez leur demander de survoler un texte informatif et de chercher tous les changements ayant trait aux caractères. Les élèves ne lisent pas le texte, mais cherchent uniquement tout changement visible sur ce plan. Vous pouvez choisir de remettre aux élèves leur propre exemplaire du texte ou de projeter le texte à l'aide d'un rétroprojecteur afin que tout le monde puisse le lire ensemble. Vous devez montrer plusieurs fois aux élèves comment utiliser cette stratégie avant qu'ils essaient de l'utiliser seuls. Il est recommandé que l'enseignant modèle la stratégie, puis que toute la classe participe. Ensuite, quand les élèves la maîtrisent mieux, ils peuvent travailler en petits groupes, puis en dyades et, finalement, de façon individuelle. L'enseignant construit un diagramme en T sur du papier grand format. Les élèves énumèrent les types de caractères employés dans le texte (par exemple, caractères gras, couleurs, italique). L'enseignant note les caractères utilisés dans la colonne de gauche et les mots ou les phrases dans lesquels ils apparaissent dans la colonne de droite. Vous pouvez utiliser la feuille de travail de la page 145. En se basant sur ces observations, les élèves font alors des prédictions au sujet du texte. L'enseignant demande : « Quels indices nous fournissent les caractères au sujet des éléments d'information importants qui se trouvent dans le texte ? ». Après avoir lu le texte, les élèves discutent de la véracité de leurs prédictions et de l'efficience du choix de l'auteur sur le plan des caractères. Profitez de ce que les élèves répondent à des questions de compréhension sur le texte ou utilisent le texte pour écrire des rapports pour leur rappeler d'utiliser le graphique en T des caractères. Quand vous présentez ce concept, vous devez porter attention à l'information apportée par les élèves. Il peut être intéressant de disposer d'une liste de noms des élèves et de noter rapidement quels élèves semblent comprendre l'importance des caractères utilisés et la façon dont ils fonctionnent et quels élèves ne semblent pas avoir atteint ce niveau. Voici un exemple de graphique en T des caractères :

Caractères utilisés	Mots mis en évidence
caractères gras puces italique	**bleu** • rouge *orange*

Stratégie 2 : La mise en évidence

Pour aider les élèves à comprendre l'importance des mots clés, vous pouvez agrandir une page du texte qui comprend plusieurs exemples de mots déclencheurs ou de mots repères. Chaque élève dispose d'une photocopie du texte et d'un surligneur qui lui servira à relever les termes sélectionnés. Cette activité peut également être réalisée avec toute la classe en utilisant un transparent sur le rétroprojecteur. Faites cette activité plusieurs fois avec toute la classe. La première fois, l'enseignant peut modeler la procédure en réfléchissant à voix haute pendant qu'il accomplit chaque étape. Ensuite, les élèves peuvent utiliser le rétroprojecteur pour montrer à leurs camarades ce qu'il faut surligner. Une fois que les élèves connaissent bien cette stratégie, formez de petits groupes où les élèves travailleront ensemble.

Stratégie 3 : Le survol du texte

Avant de lire un nouveau texte avec les élèves, prenez le temps de le survoler avec eux et d'attirer leur attention sur ses caractéristiques graphiques. Cette étape permettra d'activer les connaissances antérieures des élèves sur le sujet, de leur donner une idée de ce qu'ils vont apprendre et de mettre en évidence la structure de texte utilisée. Voici quelques façons de procéder :

- discuter des éléments d'information présentés dans les tableaux et les diagrammes
- lire les légendes qui se trouvent sous les illustrations ou les photos
- discuter des cartes, des coupes, des tables, etc.

Vous pouvez utiliser la feuille de travail de la page 146 pour cette stratégie.

Stratégie 4 : L'aperçu du chapitre

L'enseignant commence par s'assurer que tous les élèves ou toutes les équipes d'élèves disposent d'un manuel scolaire donné. Tous ensemble, ils jettent un coup d'œil sur le manuel scolaire pour y trouver les réponses aux questions que l'enseignant a préalablement écrites sur du papier grand format. L'enseignant lit les questions aux élèves. Voici quelques exemples de questions :

1. Quel est le titre du chapitre ?
2. Quel est le sous-titre de ce chapitre ?
3. Quels sont les intertitres de ce chapitre ?
4. Quels mots sont imprimés en caractères gras, en italique ou en couleur ?
5. Selon toi, pourquoi ces mots sont-ils imprimés de cette façon ?
6. Y a-t-il des illustrations ou des photos ? Précise ta réponse.

Cette stratégie permet aux élèves de se familiariser avec un chapitre d'un manuel scolaire sans vraiment lire ce chapitre. Ainsi, quand vient le temps de lire ce chapitre, les élèves savent à quoi s'attendre et comprennent mieux le texte. Donnez souvent l'occasion aux élèves de pratiquer cette activité avec des manuels scolaires. Après avoir montré aux élèves comment utiliser la stratégie, utilisez la feuille de travail de la page 147.

Stratégie 5 : Organiser l'information avec une toile d'idées

Les toiles d'idées sont très utiles pour organiser l'information. Avec une toile d'idées, les élèves peuvent trouver des éléments d'information dans un texte informatif avant de le lire. Vous pouvez utiliser la toile d'idées de la page 148 avec votre classe. L'enseignant et les élèves regardent le titre du chapitre et discutent de l'idée principale. On écrit l'idée principale au centre de la toile. Ensuite, les élèves cherchent dans le chapitre des intertitres liés à l'idée principale. Une fois qu'ils les ont trouvés, les élèves cherchent dans le chapitre des caractéristiques telles que des mots et des phrases repères, des caractères gras, des mots en italique, etc., et ils ajoutent ces éléments dans la toile. Une fois que les élèves ont organisé et situé les éléments importants du texte, ils peuvent le lire pour saisir sa signification.

Stratégie 6 : Les graphiques et les légendes

Choisissez un chapitre d'un texte informatif à lire avec les élèves. Prenez la feuille de travail de la page 149. Demandez aux élèves d'écrire le titre du chapitre puis d'observer les représentations graphiques du chapitre. Les élèves dressent une liste de toutes les représentations graphiques qu'ils y trouvent. Ensuite, ils écrivent toutes les légendes qui expliquent ces représentations graphiques. En une phrase, ils font alors une prédiction de l'idée principale du chapitre. Finalement, ils lisent le texte du chapitre et vérifient si leur prédiction était correcte.

Stratégie 7 : La prise de notes en deux colonnes

Pour cette stratégie, vous devez choisir un texte avec plusieurs intertitres qui sont eux-mêmes subdivisés, et de nombreux détails sur le sujet. Commencez par utiliser le modèle de prise de notes en deux colonnes de la page 150. La page est divisée en deux : d'un côté le sujet, de l'autre côté, les détails. Écrivez le premier intertitre dans la colonne de gauche. Notez quelques détails que vous avez lus à ce sujet dans la colonne de droite. Ensuite, écrivez le titre de la première subdivision que vous rencontrez dans la colonne de gauche. Lisez le texte de cette section et notez les détails dans la colonne de droite.

Continuez de la même manière jusqu'à la fin de la page, du chapitre ou du texte. Vous devez absolument modeler plusieurs fois cette stratégie pour toute la classe avant de demander aux élèves de l'utiliser de façon individuelle. Une fois que les élèves maîtrisent bien cette stratégie, vous pouvez choisir un texte plus difficile.

Stratégie 8 : La prise de notes en trois colonnes

Une fois que les élèves connaissent bien la technique de la prise de notes en deux colonnes, ils peuvent entreprendre la prise de notes en trois colonnes. Utilisez le modèle présenté à la page 151. La troisième colonne, intitulée **Réactions**, permet aux élèves d'écrire leurs réactions personnelles à la lecture. On entend par réactions personnelles un sentiment, des questions, des déductions ou des pensées suscités par le texte. Un élève qui peut faire un lien avec le texte se souvient mieux de ce qu'il a lu et atteint un niveau supérieur de compréhension.

Stratégie 9 : Qu'est-ce que ça représente ?

Pour illustrer cette stratégie, l'enseignant doit choisir un passage qui contient au moins une représentation graphique. Vous pouvez utiliser la feuille de travail de la page 152. Les élèves choisissent une représentation graphique du texte, puis la représentent dans le cadre à l'aide d'un dessin. Ensuite, ils écrivent une phrase qui explique les éléments d'information donnés dans le graphique. Recommencez cette activité plusieurs fois avec toute la classe. Ensuite, formez de petits groupes d'élèves et donnez-leur l'occasion de s'exercer davantage à appliquer cette stratégie.

Stratégie 10 : Les titres des chapitres

L'enseignant choisit un livre qui comprend plusieurs chapitres et il lit le titre du livre aux élèves. L'enseignant note les titres des chapitres sur du papier grand format. Lors d'une séance de remue-méninges, les élèves discutent des titres des chapitres et de leur signification, ainsi que du contenu de chaque chapitre. Les idées émises sont écrites à côté de chacun des titres. Ensuite, le groupe fait des prédictions au sujet de l'idée principale du livre. Servez-vous de la feuille de travail de la page 153 pour cette activité.

Stratégie 11 : Le rallye des organisateurs textuels

L'enseignant forme des groupes de quatre élèves et leur attribue cinq à dix minutes pour faire l'activité, selon la maturité et les capacités des élèves du groupe et le degré de difficulté du texte. En se basant sur le modèle de la page 154, les élèves cherchent tous les organisateurs textuels du chapitre et regardent s'ils présentent un lien direct avec le titre du chapitre. Le premier groupe à terminer le rallye reçoit une récompense.

Stratégie 12 : La lecture entre partenaires

Pour développer leurs compétences en lecture, les élèves doivent absolument interagir avec leurs camarades. Le travail de groupe motive les élèves et, quand il est bien structuré, il permet de maximiser l'apprentissage. Les élèves travaillent en dyades et prennent la feuille de travail de la page 155, « La lecture entre partenaires », pour déterminer de quelle façon un organisateur textuel apporte des éléments d'information importants et indique au lecteur l'idée principale du texte. L'enseignant doit constamment diriger les élèves afin que ces derniers comprennent que le contenu du texte et les organisateurs textuels en disent ensemble beaucoup sur l'idée principale.

Stratégie 13 : Utiliser le journal

Prenez une section du journal local, du journal de l'école ou d'une lettre d'information destinée aux parents. Demandez aux élèves de chercher le titre de la section. Ensuite, demandez-leur de citer les titres des différents articles de la section. Les élèves discutent de la raison pour laquelle l'éditeur a décidé de placer ces articles dans cette section. Ensuite, les élèves font des prédictions sur ce qu'ils pensent découvrir dans chaque article, en se basant sur les titres.

Stratégie 14 : Nomme-le !

L'enseignant prépare un guide d'étude qui ne contient ni titres, ni intertitres (il s'agit d'un texte que les élèves étudient déjà, mais dans lequel vous avez ôté les titres et les intertitres). Les élèves doivent insérer les titres et les intertitres manquants. Recommencez cette activité plusieurs fois avec les élèves afin qu'ils maîtrisent le choix des titres. Vous pouvez apporter une variante en donnant les titres et les intertitres aux élèves et en leur demandant d'écrire le texte.

Stratégie 15 : EILRR

Les lettres **EILRR** signifient **Examine, Interroge, Lis, Raconte** et **Revois**. Il s'agit d'une stratégie très précise qui doit être réalisée avec les élèves plusieurs fois. Il est recommandé d'utiliser cette stratégie lors des séances de lecture partagée jusqu'à ce qu'elle soit bien maîtrisée par les élèves.

À la première étape, **Examine,** les élèves survolent l'information du texte : ils regardent les titres, les intertitres, les images, les graphiques, les caractères, etc. L'objectif de cette étape est de se faire une idée du matériel qui sera présenté.

Interroge signifie que les élèves transforment chaque titre et chaque intertitre en question. Les questions définissent l'objectif de lecture et permettent aux élèves de se concentrer sur ce qu'ils vont lire.

La **lecture** doit être faite très attentivement afin de ne perdre aucune information.

À cette étape, les élèves **racontent,** ce qui signifie qu'ils racontent l'information, verbalement ou par écrit.

Revoir permet aux élèves de prendre quelques minutes pour faire le point sur ce qu'ils ont lu.

Cette stratégie doit être montrée souvent aux élèves avant que ceux-ci soient capables de la réaliser de façon autonome. Formez des groupes de quatre élèves et attribuez une tâche à chacun en vous basant sur la feuille de travail de la page 156 : un élève peut examiner le texte, un autre, rédiger des questions, le troisième, répéter et le dernier, revoir le matériel. Assurez-vous de diviser le texte en parties suffisamment petites pour que les élèves ne se sentent pas dépassés par la tâche. Échangez les rôles pour chaque nouvel intertitre ou chaque nouvel article.

Stratégie 16 : Le portrait

Ici, les élèves dressent un portrait qui fait ressortir les organisateurs textuels du texte informatif. Prenez la feuille de travail de la page 157. Dites aux élèves que cette feuille de travail va leur permettre d'organiser leurs idées par rapport au chapitre qu'ils sont en train de lire. Les élèves écrivent le titre, le sous-titre et les intertitres du chapitre sur les lignes. Ensuite, ils lisent tout le chapitre. À la fin de la lecture, les élèves décident de l'idée principale et l'écrivent. Finalement, ils écrivent quelques détails complémentaires et quelques mots ou phrases clés du chapitre qui leur ont permis de trouver l'idée principale.

Stratégie 17 : La pyramide

Cette stratégie permet aux élèves d'écrire les principaux éléments d'information d'un chapitre dans un organisateur graphique afin de s'en souvenir plus facilement. Utilisez la feuille de travail de la page 158. Premièrement, demandez aux élèves d'écrire le titre du chapitre au sommet de la pyramide. Ensuite, dites-leur de lire tout le chapitre. Une fois la lecture terminée, les élèves décident de l'idée principale et l'écrivent dans la deuxième case de la pyramide. Ensuite, les élèves énumèrent les intertitres du chapitre dans la troisième section de la pyramide. Finalement, les élèves notent tous les autres détails du chapitre qui leur ont permis de trouver l'idée principale.

Le graphique en T des caractères **Stratégie 1**

Consignes : Dresse une liste des différentes caractéristiques utilisées par l'auteur dans la colonne de gauche et une liste des termes qu'il a mis en évidence dans la colonne de droite. Explique, dans tes propres mots, ce que tu penses que le texte signifie et écris une phrase de conclusion. As-tu appris quelque chose dans le texte qui ne soit pas écrit ici ?

Caractéristiques

- changement de type de caractères
- caractères colorés
- mots en italique
- mots en caractères gras
- puces

Caractéristiques	Mots mis en évidence
______________________	______________________
______________________	______________________
______________________	______________________
______________________	______________________
______________________	______________________
______________________	______________________

Déductions et conclusions : ____

____

____

____

____

____

Le survol du texte

Stratégie 3

Consigne : Réponds aux questions suivantes avant de lire le livre.

Titre du livre : ______________________________

1. Mets un X à côté des représentations graphiques utilisées dans le texte.

__________ diagramme

__________ cartes

__________ photographies

__________ illustrations

__________ tableaux

__________ autres : ______________________________

2. Trouve des exemples :

Un mot écrit en italique ______________________ page ________

Un mot écrit en caractères gras __________________ page ________

Un mot plus grand que les autres mots de la page ______________
page ________

Un titre de chapitre ______________________ page ________

Un sous-titre ou un intertitre ______________________________
page ________

3. À ton avis, de quoi traite ce livre ? Justifie ta réponse.

____

____

____

L'aperçu du chapitre

Stratégie **4**

Consignes : Survole le livre afin de trouver les réponses aux questions qui suivent. Écris tes réponses sur les lignes.

1. Quel est le titre du chapitre ? ______________________________

____

2. Quel est le sous-titre de ce chapitre ? ______________________

____

____

3. Quels sont les intertitres de ce chapitre ? ___________________

____

____

4. Quels mots sont imprimés en caractères gras, en italique ou en couleur ?

____

____

5. Selon toi, pourquoi ces mots sont-ils imprimés de cette façon ?

____

____

____

6. Y a-t-il des illustrations ou des photos ? __________ Précise ta réponse.

____

____

____

La toile d'idées

Stratégie **5**

Consignes : Écris le titre du chapitre sur la ligne. Cherche l'idée principale du chapitre et écris-la dans l'ovale intitulé **Idée principale.** Cherche les intertitres qui soutiennent l'idée dans le chapitre. Écris-les dans les ovales intitulés **Intertitre.** Ensuite, lis les intertitres afin de trouver les caractéristiques, telles que les mots repères, les mots en caractères gras, les mots en italique, etc. Écris-les sur les lignes qui partent des ovales intitulés **Intertitre.**

Titre du chapitre : ____________________

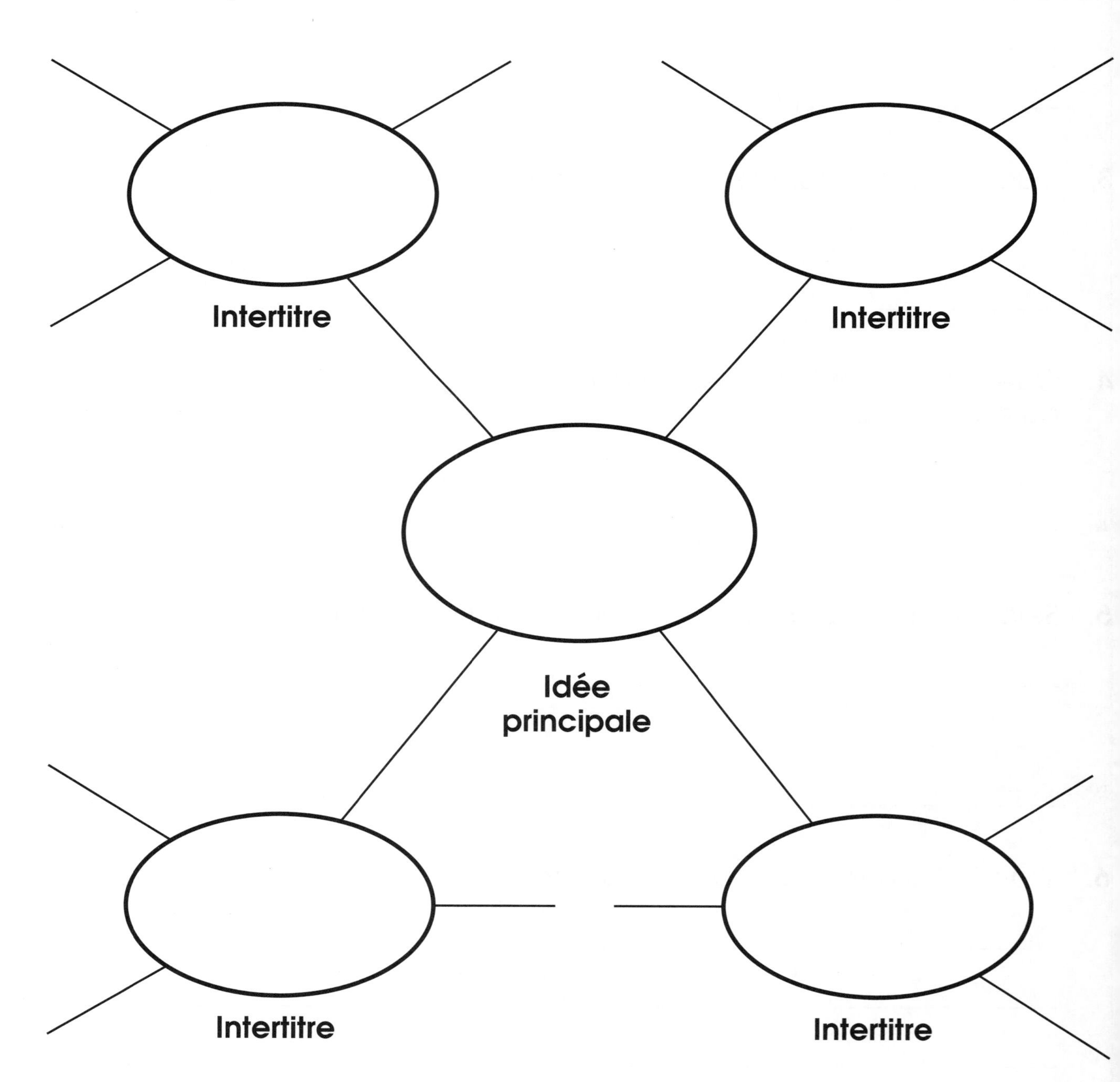

Les graphiques et les légendes

Stratégie 6

Consignes : Écris le titre de ton chapitre sur la ligne. Observe les représentations graphiques du chapitre. Énumère tous les types de représentations graphiques que tu trouves dans le chapitre. Écris toutes les légendes qui accompagnent ces représentations graphiques. Écris une phrase qui annonce l'idée principale du chapitre. Maintenant, lis le chapitre et regarde si ta prédiction concernant l'idée principale se concrétise.

Titre du chapitre : ______________________________

____

Types de représentations graphiques : ______________________________

____

____

____

Légendes : ______________________________

____

____

____

____

____

Prédiction de l'idée principale : ______________________________

____

____

____

____

La prise de notes en deux colonnes

Stratégie 7

Consignes : Lis le paragraphe. Décide du sujet et écris-le dans la colonne intitulée **Sujet.** Ensuite, cherche les détails qui étoffent le sujet et écris-les dans la colonne intitulée **Détails.**

Sujet	Détails

La prise de notes en trois colonnes

Stratégie 8

Consignes : Lis le paragraphe. Décide du sujet et écris-le dans la colonne intitulée **Sujet.** Ensuite, cherche les détails qui étoffent le sujet et écris-les dans la colonne intitulée **Détails.** Enfin, dans la colonne intitulée **Réactions,** écris ce que tu ressens, les questions que tu te poses ou ce que t'inspire ta lecture.

Sujet	Détails	Réactions

Qu'est-ce que ça représente ?

Stratégie 9

Consignes : Choisis une représentation graphique dans ton texte et reproduis-la dans l'encadré. Dresse une liste des faits que l'on peut apprendre dans cette représentation graphique.

Titre du livre : ____________________

1. ____________________

2. ____________________

3. ____________________

Les titres des chapitres

Stratégie 10

Consignes: Note les titres des chapitres de ton livre. Écris une chose que tu vas apprendre dans chaque chapitre. D'après toi, quelle est l'idée principale du livre?

1. Titre du chapitre: ______________________________

Je vais apprendre que ______________________________

____

2. Titre du chapitre: ______________________________

Je vais apprendre que ______________________________

____

3. Titre du chapitre: ______________________________

Je vais apprendre que ______________________________

____

4. Titre du chapitre: ______________________________

Je vais apprendre que ______________________________

____

5. Titre du chapitre: ______________________________

Je vais apprendre que ______________________________

____

L'idée principale est ______________________________

____

____

____

Le rallye

Stratégie **11**

Consignes : Cherche tous les organisateurs textuels de ton livre et dresse une liste de ceux que tu trouves. Écris-en le plus possible !

La lecture entre partenaires

Stratégie 12

Consignes : Formez des dyades. Cherchez de quelle façon les organisateurs textuels indiquent des faits importants ou l'idée principale du texte.

Joueur numéro 1 : Montre-moi un organisateur textuel.

____

____

____

Joueur numéro 1 : L'organisateur textuel fait-il ressortir des faits importants ? Explique ta réponse.

____

____

____

Joueur numéro 2 : Montre-moi un organisateur textuel.

____

____

____

Joueur numéro 2 : L'organisateur textuel t'en dit-il plus au sujet de l'idée principale du texte ? Explique ta réponse.

____

____

____

EILRR

Stratégie 15

Consigne : Suis les consignes données pour chaque section.

Examine le texte et écris ce que tu as vu.

____

____

____

Interroge. Transforme chaque titre et intertitre en question.

____

____

____

Lis le texte.

Raconte ou écris ce que tu as lu.

____

____

____

____

____

Revois ce que tu viens d'écrire à la rubrique **Raconte.** As-tu oublié quelque chose ? Si oui, écris-le ici.

____

____

____

____

____

Le portrait

Stratégie **16**

Consignes : Dresse un portrait afin de mieux organiser tes idées au sujet du chapitre que tu es en train de lire. Écris le titre, le sous-titre et les intertitres du chapitre sur les lignes. Ensuite, lis tout le chapitre. Cherche l'idée principale et note-la également. Écris quelques détails complémentaires et quelques mots clés qui t'ont permis de trouver l'idée principale.

A. Titre ______________________________

____

1. Sous-titre ______________________________

____

2. Intertitres ______________________________

____

3. Idée principale ______________________________

____

____

a. Détails complémentaires ______________________________

____

____

____

b. Mots ou phrases clés ______________________________

____

____

____

____

La pyramide

Stratégie 17

Consignes : Commence par écrire le titre du chapitre dans la pointe de la pyramide. Ensuite, lis tout le chapitre. Cherche l'idée principale et écris-la dans la deuxième tranche de la pyramide. Dans la tranche suivante, énumère les intertitres du chapitre. Ensuite, note tous les autres détails qui t'ont permis de trouver l'idée principale.

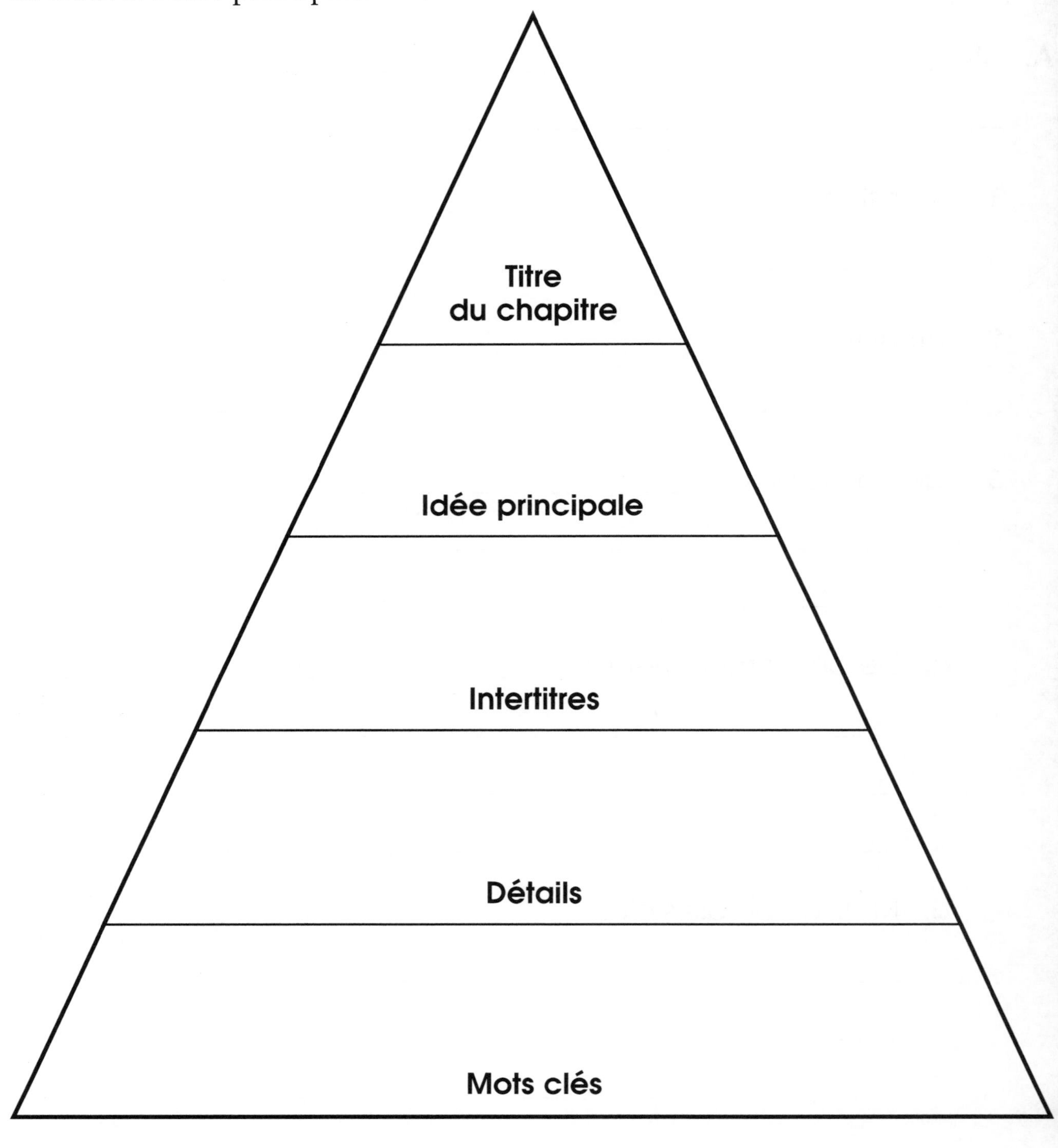

CHAPITRE 8

Utiliser des parties du livre

Les textes informatifs comportent de nombreuses caractéristiques structurales qui permettent aux élèves de repérer des éléments d'information précis sur un sujet. En outre, les éléments structuraux de base de la plupart des textes informatifs sont semblables. Ainsi, les élèves de deuxième année doivent apprendre à utiliser la table des matières et l'index afin d'y trouver des éléments d'information importants, ce qui leur permettra de gagner du temps. Une fois ces compétences acquises, les élèves peuvent apprendre à utiliser des parties du livre plus difficiles comme la page de titre, la page de copyright, la page de dédicace, les annexes, le glossaire et la préface.

Repérer des éléments d'information

Le repérage d'information est une stratégie importante pour la compréhension des textes informatifs. Pour trouver des éléments d'information dans des textes informatifs, les élèves doivent adopter des stratégies différentes de celles qu'ils utilisent pour comprendre les textes de fiction. Les textes de fiction ne comportent pas certains éléments que l'on trouve dans les textes informatifs comme la table des matières, les glossaires et les index. Pour trouver les éléments d'information dans des textes informatifs, les élèves doivent procéder comme suit :

- **Ils doivent définir un objectif.** Les élèves ont à se poser une question sur l'information contenue dans le texte et ils doivent avoir besoin de la réponse ou vouloir la trouver.

- **Ils doivent choisir un outil approprié pour trouver la réponse.** Les élèves doivent savoir où repérer les éléments d'information dans un index, un glossaire, une table des matières, une préface, etc.
- **Les élèves doivent utiliser l'outil approprié pour trouver l'information.** Ils doivent déterminer les faits importants et les extraire du texte.

On peut diviser un livre informatif en trois sections principales. Ces trois sections sont le début, le milieu (le corps du texte) et la fin. Le début comprend la page de titre, la page de copyright, la préface, la table des matières et parfois une liste des illustrations. Ces pages sont généralement numérotées en chiffres romains minuscules.

La page de titre

La première page est appelée la page de titre. On y trouve le titre complet du livre, le nom de l'auteur, la maison d'édition et le lieu d'impression. Elle est suivie de la page de copyright. Cette page indique l'année de publication du livre et le nom du propriétaire du copyright.

Le copyright

La date de copyright correspond généralement à la date de publication. Vous devez dire aux élèves de vérifier la date de copyright afin de s'assurer que l'information n'est pas périmée.

La dédicace

La page de copyright peut également comprendre une brève dédicace. L'auteur profite de cette occasion pour remercier les personnes qui ont joué un rôle important dans sa vie, dans sa formation et dans sa carrière ou, simplement, qui l'ont aidé à écrire son livre.

L'avant-propos, l'introduction, les remerciements et la préface se ressemblent. Dans certains livres, on ne trouve qu'une seule de ces caractéristiques tandis que dans d'autres, on les trouve toutes. Cependant, les objectifs de chacune sont différents.

Les remerciements

Les remerciements permettent à l'auteur de remercier les personnes qui l'ont soutenu dans ses recherches et son écriture ou encore qui l'ont assisté dans ses travaux. Les remerciements peuvent compter plusieurs pages.

L'avant-propos

L'avant-propos est un texte rédigé par une personne différente de l'auteur. Il permet de donner plus d'autorité au texte. On demande par exemple à un expert d'écrire un avant-propos pour le livre.

La préface

La préface se trouve au début du livre, avant la table des matières. Préface est un terme dérivé du latin *præfari* qui signifie « dire d'avance ». La préface peut être brève (moins d'une page) ou compter plusieurs pages. La préface ressemble beaucoup à l'introduction. Les premières phrases expliquent les raisons pour lesquelles le livre a été écrit. Elle donne à l'élève une idée générale des éléments d'information qu'il trouvera dans le corps du texte et elle apporte tous les renseignements de base nécessaires sur le sujet.

Le titre

Le titre du livre peut activer les connaissances antérieures de l'élève sur le sujet et le motiver à lire un livre. Incitez les élèves à examiner la couverture du livre pour faire des prédictions, s'intéresser au sujet et poser des questions sur ce dernier.

La liste des illustrations

Les livres informatifs comportent souvent une liste des illustrations. La liste des illustrations fournit de l'information sur les différents types de graphiques qui se trouvent dans le livre. Elle reprend le titre des illustrations, ainsi que le numéro de la page où on peut les trouver. On entend par illustrations des cartes, des lettres, des tableaux, des diagrammes, des photos, des tables, des dessins, etc. Toutes ces caractéristiques importantes des livres informatifs permettent de clarifier les éléments d'information en les présentant dans un format différent. Elles peuvent améliorer la compréhension du texte et aider les élèves à se rappeler l'information.

La table des matières

La table des matières se trouve au début du livre. Cette dernière sert de guide pour l'ensemble du texte : elle illustre comment l'information est organisée dans le texte et indique aux élèves où ils peuvent trouver des éléments d'information supplémentaires sur le sujet. La table des matières divise l'information présentée dans le livre en sections qu'on appelle chapitres. Chaque chapitre apporte de l'information sur un sujet précis. Les élèves de deuxième année peuvent commencer à utiliser une table des matières. Ils peuvent, par exemple, chercher le titre d'une section en particulier et voir à quelle page elle commence. Au fur et à mesure que l'année avance, les élèves doivent apprendre à mieux utiliser la table des matières.

Le corps du texte

Le corps du texte est la partie principale du livre. C'est l'endroit où les éléments d'information abordés dans l'introduction sont décrits en profondeur et avec plus de détails. En général, le corps du texte comprend plusieurs chapitres. Chaque chapitre apporte de l'information sur un aspect précis du sujet. Les chapitres sont eux-mêmes subdivisés en sections plus petites grâce aux intertitres et aux paragraphes. Le corps du texte est suivi par la fin du livre, qui comprend l'index, les annexes, le glossaire et la bibliographie.

L'index

La mise en page de l'index peut sembler plus familière aux élèves qui savent déjà lire. Quand vous enseignez aux élèves comment utiliser un index, expliquez-leur que l'information est organisée en rubriques et en sous-rubriques. Expliquez-leur également toutes les autres notations qui peuvent accompagner le sujet et les sous-sujets, comme les nombres, les abréviations, etc. Une fois qu'ils sont habitués à cette structure, apprenez aux élèves à utiliser un index pour repérer des éléments d'information.

Les annexes

Les annexes sont un outil qui apporte et développe des éléments supplémentaires sur un personnage, un sujet ou une information présentés dans le corps du texte. Les éléments d'information contenus dans les annexes peuvent se présenter sous forme de cartes, de diagrammes, de copies de lettres, de documents officiels, de tableaux, de formulaires ou d'illustrations. Ces supports peuvent s'avérer des outils de référence importants pour l'élève qui cherche de nouveaux éléments d'information à intégrer à ses connaissances antérieures.

Le glossaire

Le glossaire est une espèce de dictionnaire spécialisé. Tout comme dans un dictionnaire, les termes y sont répertoriés par ordre alphabétique. Le glossaire définit les termes techniques, étrangers ou spécialisés utilisés dans le corps du texte. Il peut également indiquer comment prononcer ces mots.

La bibliographie

La bibliographie comprend la liste des livres ou des articles que l'auteur a consultés pour écrire son livre. On y trouve, entre autres renseignements, le titre, le nom de l'auteur, le lieu d'impression, la maison d'édition et la date d'édition.

Stratégie 1 : Trouver des faits dans la table des matières

Remettez la feuille de travail de la page 165 aux élèves afin qu'ils cherchent des faits à l'aide de leur table des matières. Il s'agit d'un bon exercice de révision après s'être exercé à utiliser la table des matières plusieurs fois. Au bas de la page, les élèves posent deux questions auxquelles ils aimeraient trouver une réponse dans le livre, en se basant sur les éléments d'information qu'ils ont trouvés dans la table des matières. Cela leur permet de définir un objectif de lecture.

Stratégie 2 : Créer une table des matières

Utilisez la feuille de travail de la page 166 pour cette stratégie. Les élèves utilisent un livre informatif divisé en chapitres. Sans regarder la table des matières existante (le cas échéant), les élèves créent leur propre table des matières en se basant sur le reste du livre. Une fois qu'ils ont terminé, demandez-leur de la comparer avec la table des matières qui se trouve dans le livre. Leur table des matières est-elle aussi complète ou plus complète que la table des matières existante ? Ont-ils ajouté des éléments que l'éditeur avait laissés de côté ?

Stratégie 3 : Les journaux

Apprenez aux élèves comment utiliser une table des matières à l'aide de journaux locaux. L'enseignant doit connaître le contenu du journal avant d'utiliser cette stratégie. Après avoir abordé plusieurs fois les tables des matières avec les élèves, prenez le modèle proposé à la page 167. Cette stratégie permet aux élèves de comprendre l'utilité des tables des matières, et ce, même en dehors du contexte scolaire.

Stratégie 4 : Poser des questions

Dites aux élèves d'utiliser la feuille de travail de la page 168 pour cette activité. Les élèves lisent la table des matières qui se trouve sur la feuille de travail. Ensuite, ils inventent trois questions au sujet de la table des matières et y répondent. Ils échangent alors leurs travaux avec un camarade pour voir si ce dernier peut répondre aux questions. Cette activité montre si les élèves comprennent réellement l'objectif d'une table des matières.

Stratégie 5 : Créer une couverture de livre

Pour cette stratégie, les élèves doivent démontrer qu'ils connaissent les différentes parties d'un livre en concevant une couverture de livre informatif. La couverture doit comprendre :

- le titre du livre
- le nom de l'auteur
- le nom de l'illustrateur
- une illustration

L'enseignant permet aux élèves de choisir le sujet de leur couverture de livre et s'assure que ces derniers écrivent ou dessinent les éléments d'information aux endroits appropriés. Vous pouvez utiliser la feuille de travail de la page 169 pour cette activité. Modelez cette stratégie plusieurs fois en classe. Ensuite, demandez-leur de travailler en dyades pour concevoir une couverture de livre. Une fois habitués à repérer les différentes parties d'une couverture de livre, les élèves peuvent réaliser cette activité de façon autonome.

Stratégie 6 : La liste de vérification

La feuille de travail de la page 170 est conçue pour appliquer cette stratégie. Les élèves examinent un livre informatif comprenant une table des matières, un index, un glossaire, etc. (un manuel scolaire convient bien à cette activité). Les élèves consultent leur livre pendant quelques minutes puis ils vérifient les différents éléments qu'ils y ont trouvés. Les élèves inscrivent ensuite des informations sur chacun de ces éléments dans la colonne **Information.** Laissez aux élèves suffisamment de temps pour consulter leur livre et bien le connaître.

Stratégie 7 : À l'intérieur ou à l'extérieur

Les élèves ont besoin de la feuille de travail de la page 171. L'enseignant lit d'abord les consignes aux élèves puis il lit tous les mots qui se trouvent sur la page. Les élèves découpent alors les bandelettes comprenant les différentes parties d'un livre. Ensuite, ils classent les mots en deux catégories : à l'intérieur et à l'extérieur. L'enseignant peut aider les élèves en discutant de l'endroit du livre où se trouve chaque élément. Les élèves collent les mots dans la colonne correspondante. Si un élève pense qu'un élément appartient aux deux catégories, il le colle au centre, à cheval sur les deux colonnes. Avant de faire cette activité, les élèves doivent passer beaucoup de temps à regarder leur manuel scolaire afin de bien le connaître. Les manuels scolaires sont une expérience nouvelle pour la plupart des jeunes élèves et ils ne peuvent pas en trouver les différentes parties seuls. Cette activité peut également être réalisée en petits groupes ou en dyades.

Stratégie 8 : Repérer des éléments d'information

La feuille de travail de la page 172 est utile pour cette stratégie. Les élèves pensent à l'endroit où ils peuvent trouver certaines parties d'un livre, comme la page de copyright, la table des matières, la dédicace, la page de titre, l'introduction, les annexes, la bibliographie, le glossaire et l'index. Cette activité peut être faite avec toute la classe, en petits groupes ou individuellement, et en tant qu'évaluation diagnostique, sommative ou les deux.

Stratégie 9 : Créer un index

Les élèves créent leur propre index avec des mots de vocabulaire provenant d'un livre informatif. Ils peuvent utiliser le modèle de la page 173 pour cette activité. Les élèves écrivent, sur les lignes, des mots de vocabulaire du livre informatif qu'ils sont en train de lire. Ils doivent choisir des mots liés au sujet du livre. Les élèves indiquent également le numéro de la page où ils ont trouvé chaque mot. Ensuite, ils découpent les mots et les classent par ordre alphabétique. Finalement, ils les collent sur une autre feuille. Ils disposent maintenant d'un index pour leur livre.

Stratégie 10 : Créer son propre dictionnaire illustré

L'enseignant peut présenter le concept des glossaires à l'aide de glossaires illustrés. Il s'agit d'expliquer aux élèves comment utiliser les images pour trouver les mots ou les sujets dans le glossaire. Une fois qu'ils ont appris à utiliser cette stratégie, les élèves forment de petits groupes et choisissent cinq mots dans un texte informatif étudié en classe. Ensuite, ils écrivent les mots par ordre alphabétique et ils les illustrent pour expliquer ce qu'ils signifient. L'enseignant peut utiliser le modèle de la page 174 et demander aux élèves de classer les mots par ordre alphabétique et de les illustrer.

La table des matières

Stratégie 1

Consignes : Trouve la table des matières de ton livre. Cherche les éléments d'information et réponds aux questions suivantes.

1. Comment la table des matières est-elle organisée ?

____

2. Combien de pages compte ton livre au total ?

____

3. Combien de chapitres compte ton livre ?

____

4. En t'aidant de la table des matières, regarde si ton livre comporte les éléments suivants et indique **oui** ou **non** à côté de chacun des éléments :

- un glossaire ______________
- une annexe ______________
- un index ______________

Écris deux questions que tu te poses au sujet de ce livre à partir de l'information que tu as apprise dans la table des matières.

1. ______________________________

____

____

2. ______________________________

____

____

Créer une table des matières

Stratégie 2

Consignes : Crée une table des matières à partir d'un livre informatif. Ne consulte pas la table des matières existante, s'il y en a une. Regarde tous les chapitres et crée ta propre table des matières.

Table des matières

______________________ . . . . ________
______________________ . . . . ________
______________________ . . . . ________
______________________ . . . . ________
______________________ . . . . ________
______________________ . . . . ________
______________________ . . . . ________
______________________ . . . . ________
______________________ . . . . ________
______________________ . . . . ________
______________________ . . . . ________
______________________ . . . . ________
______________________ . . . . ________
______________________ . . . . ________
______________________ . . . . ________
______________________ . . . . ________
______________________ . . . . ________
______________________ . . . . ________
______________________ . . . . ________

Le journal

Stratégie **3**

Consignes : Trouve la table des matières d'un journal. Cherche les sections suivantes et écris le numéro de page de chacune.

Section	Page
Météo	________
Cinéma	________
Petites annonces	________
Bandes dessinées	________

Écris deux autres faits intéressants que tu as appris au sujet du journal dans la table des matières.

1. ______________________________

____

____

____

____

____

2. ______________________________

____

____

____

____

____

Pose des questions

Stratégie 4

Consignes : Consulte la table des matières ci-dessous. Invente trois questions au sujet de cette table des matières. Écris les réponses sur une autre feuille. Donne tes questions à un camarade et demande-lui d'y répondre.

Table des matières

1. ______________________________

____

____

2. ______________________________

____

____

3. ______________________________

____

____

Crée une couverture de livre

Stratégie 5

Consigne : Invente une couverture de livre informatif. Souviens-toi que la couverture doit comprendre :

- le titre du livre
- le nom de l'auteur
- le nom de l'illustrateur
- une illustration

La liste de vérification

Stratégie 6

Consignes : Fais un X à côté des différents éléments que tu as trouvés dans le livre. Écris également les numéros de pages où ils se trouvent. Qu'as-tu trouvé à chaque page ?

	Oui	Non	Information
1. titre			
2. auteur			
3. illustrateur			
4. copyright			
5. maison d'édition			
6. lieu d'impression			
7. table des matières			
8. carte			
9. tableau			
10. légende			
11. annexes			
12. glossaire			
13. index			
14. bibliographie			

À l'intérieur ou à l'extérieur ?

Stratégie 7

Consignes : Découpe les bandelettes ci-dessous, sur lesquelles sont énumérées les différentes parties d'un livre. Classe-les en deux catégories (à l'intérieur ou à l'extérieur). Colle les bandelettes dans la bonne colonne. Si tu penses qu'une des bandelettes appartient aux deux catégories, colle-la au milieu.

À l'extérieur du livre	À l'intérieur du livre

Date de copyright	Titres des chapitres
Table des matières	Bibliographie
Page de titre	Index
Titre du livre	Glossaire
Nom de l'auteur	Annexes
Couverture du livre	Dos du livre

Repère des éléments d'information **Stratégie 8**

Consigne : Utilise les mots des rectangles pour répondre aux questions.

- page de copyright
- dédicace
- introduction
- table des matières
- page de titre

Où chercherais-tu :

1. L'année de publication du livre ? ______________________
2. Le lieu d'impression ? ______________________
3. L'endroit où l'auteur remercie les gens ? ______________________
4. La raison pour laquelle l'auteur a écrit le livre ? ______________________
5. Un chapitre précis ? ______________________

- annexes
- glossaire
- bibliographie
- index

Où chercherais-tu :

1. La signification de termes spéciaux ? ______________________
2. L'endroit où certains éléments d'information se trouvent dans le livre ?

   ____

3. Les livres sur lesquels l'auteur s'est basé pour écrire son livre ?

   ____

4. Une carte ou une illustration ? ______________________

Crée un index

Stratégie 9

Consignes : Écris sur les lignes des mots de vocabulaire tirés d'un livre informatif que tu es en train de lire. Ne choisis que des mots liés au sujet du livre. Écris le numéro de la page où tu as trouvé chaque mot. Découpe les mots et classe-les par ordre alphabétique. Colle-les sur une autre feuille de papier. Maintenant, tu as un index pour ton livre.

______________________________	__________
______________________________	__________
______________________________	__________
______________________________	__________
______________________________	__________
______________________________	__________
______________________________	__________
______________________________	__________

Crée ton propre dictionnaire illustré

Stratégie **10**

Consignes : Choisis cinq mots dans un livre informatif. Classe-les dans l'ordre alphabétique et illustre-les à l'aide d'un dessin.

1. ______________________________

2. ______________________________

3. ______________________________

4. ______________________________

5. ______________________________

CHAPITRE 9

Faire des déductions

Les déductions

Faire des déductions, c'est « lire entre les lignes » afin de tirer des conclusions concernant l'information présentée dans le texte. Pour y arriver, il faut faire un travail de détective, se baser sur les éléments d'information connus et les combiner aux indices ou aux faits présentés dans le texte. Ce processus permet aux élèves de tirer des conclusions raisonnables au sujet des éléments d'information présentés.

Pour mieux lire et comprendre les textes informatifs, les élèves doivent développer non seulement leurs compétences en matière de compréhension du sens littéral, mais aussi leur capacité de réflexion et de déduction. Les élèves qui possèdent des compétences très développées sur le plan de la réflexion critique sont capables de faire la distinction entre leurs propres observations et leurs conclusions. Ces élèves regardent au-delà des faits pour voir les implications (ou les résultats) de ces faits. Toutes les interprétations des élèves sont basées sur leurs propres déductions.

D'après Susan Hall (Harvey, 1998), faire des déductions permet aux élèves de réaliser leurs propres découvertes sans le commentaire direct de l'auteur. Pour améliorer sa compréhension d'un sujet, l'élève doit être capable de « lire entre les lignes » afin de trouver les thèmes sous-jacents et de déterminer les éléments principaux du texte. Faire des déductions, examiner les significations implicites et tirer des conclusions — toutes ces compétences exigent des élèves de dépasser le sens littéral du texte et des éléments graphiques, en faisant des liens entre leurs connaissances antérieures, leurs expériences et l'information présentée dans le texte. Grâce aux déductions, les élèves découvrent des choses dans le texte qu'ils lisent.

Des chercheurs pensent que les élèves doivent commencer à faire des déductions dès le niveau primaire (Robb, 2000). Les découvertes récentes indiquent que faire des déductions raisonnables et logiques est une habileté importante qui doit être développée en littératie.

Les différents types de déductions

Selon Tarasoff (1993), faire des déductions ne se limite pas à répondre aux questions « Qui ? », « Quoi ? », « Où ? », « Quand ? », « Pourquoi ? » ou « Comment ? ». On peut également faire des déductions concernant :

- **le lieu**
  Exemple : Maman s'est assise sur la chaise pour se faire couper les cheveux.
  Déduction : Maman est chez le coiffeur.

- **le temps**
  Exemple : Nous sommes allés au cirque après le souper.
  Déduction : La représentation avait lieu le soir.

- **l'action**
  Exemple : Le joueur s'est avancé près de la ligne et attendait son tour.
  Déduction : Le joueur s'apprête à lancer sa boule sur l'allée.

- **l'instrument**
  Exemple : Maman voulait que Robert cesse de taper aussi fort.
  Déduction : Robert joue du tambour en tapant très fort.

- **l'objet**
  Exemple : Il y avait un feu d'artifice.
  Déduction : On célébrait une fête.

- **la catégorie**
  Exemple : Les bottes, les manteaux, les chapeaux et les parapluies dégouttaient sur le sol.
  Déduction : Quelqu'un était sorti sous la pluie et avait ôté ses vêtements.

- **l'occupation ou le passe-temps**
  Exemple : Son travail était de laver et de cirer toutes les voitures qui se présentaient.
  Déduction : Cette personne travaillait dans un lave-auto.

- **la cause et les effets**
  Exemple : Le poids de la neige avait fait s'enfoncer le toit.
  Déduction : Il y avait une importante quantité de neige sur le toit.

- **le problème et la solution**
  Exemple : Christine s'est couchée tard hier soir et, maintenant, nous en payons le prix.
  Déduction : Christine est d'une humeur massacrante.

- **le sentiment et l'attitude**
  Exemple : Élisabeth a rougi quand elle a reçu la récompense du directeur.
  Déduction : Élisabeth est fière d'elle.

Faire des déductions et apporter les preuves nécessaires

Anne Goudvis définit une déduction comme une hypothèse bien fondée, formulée à partir du mélange des nouveaux éléments d'information trouvés dans le texte et des connaissances antérieures pour se façonner un jugement (Harvey, 1998). Plus les éléments d'information dont dispose un élève sur un sujet sont nombreux, meilleures seront les déductions qu'il fera. Les élèves font des déductions pendant et après la lecture de textes informatifs. Pour faire une déduction, l'élève doit émettre une hypothèse et arriver à une conclusion basée sur l'information présentée dans le texte. Ce genre de réflexion est très utile quand un élève doit répondre à une question dont la réponse ne se trouve pas directement dans le texte.

Les élèves disposant de bonnes habiletés de lecture sont capables de déduire de l'information implicite du texte et de le comprendre en se basant sur ces éléments d'information. Un élève disposant de faibles habiletés en matière de déduction ne sera pas capable de comprendre la signification sous-jacente du texte qui vient d'être lu.

Stratégie 1 : Le journal des réactions

Les élèves tiennent un journal des réactions et ils prennent ainsi l'habitude de noter leurs réactions à l'égard d'un texte. Donnez toujours aux élèves suffisamment de temps pour partager leurs réactions en dyades, en petits groupes ou avec toute la classe.

Stratégie 2 : Interpréter ce que l'auteur veut dire

Pour cette stratégie, les élèves travaillent en groupes afin d'interpréter ce que l'auteur a voulu dire. Lisez à la classe un passage d'un texte que les élèves peuvent utiliser pour cette activité. Formez de petits groupes d'élèves et discutez du texte. Les élèves doivent discuter des éléments d'information suggérés, mais pas énoncés directement. Ils se servent de la feuille de travail de la page 182 pour faire des déductions. Ils écrivent alors deux indices trouvés dans le texte qui leur ont permis de faire cette déduction. Les élèves peuvent également écrire sur les connaissances antérieures qui les ont aidés à faire cette déduction.

Stratégie 3 : Les groupes de réaction

Divisez la classe en petits groupes de travail hétérogènes. Assurez-vous que chaque groupe comprenne un élève qui lit bien, un élève qui écrit bien et un élève qui dirige le groupe. Assurez-vous également que les élèves du groupe travaillent bien ensemble. Attribuez une tâche à chaque élève du groupe : il peut y avoir un **lecteur** (celui qui lit), un **secrétaire** (celui qui écrit), un **directeur** (celui qui dirige l'équipe) et un **reporteur** (celui qui rapporte les réactions du groupe). Tous les groupes lisent le même texte informatif. Le lecteur lit le texte au groupe. Ensuite, le groupe réagit par rapport au texte. Le secrétaire écrit toutes les réactions sur une photocopie de la page 183. Le directeur s'assure que tous les membres du groupe expriment leur réaction, en regardant sa montre pour accorder un temps de parole égal à chacun. Finalement, les groupes se rassemblent et les reporteurs présentent les réactions de leur groupe respectif à la classe. Rappelez aux élèves de respecter et d'évaluer toutes les réactions de leurs camarades.

Stratégie 4 : Les déductions par rapport aux connaissances antérieures

L'enseignant présente cette stratégie en demandant aux élèves de faire des déductions à partir du langage corporel et des expressions du visage. Par exemple, l'enseignant montre aux élèves le visage d'une personne qui fronce les sourcils et il les amène à déduire que cette personne est mécontente. Une photo illustrant une personne qui hausse les épaules leur fait déduire que cette personne est confuse ou indifférente. Vous devez insister sur le fait que les élèves ont pu faire ces déductions en se basant sur leurs expériences personnelles par rapport aux émotions et au langage corporel. Les élèves peuvent déterminer leurs connaissances antérieures sur le sujet et ce qu'ils pensent apprendre à partir du survol du texte. Montrez plusieurs fois aux élèves comment utiliser cette stratégie avant de leur demander de l'essayer. L'enseignant choisit un élève et lui demande de faire une grimace, puis il s'entraîne à faire des déductions par rapport à son état. L'élève confirme si l'enseignant a raison. Une fois que les élèves sont habitués à faire cette activité, essayez de leur faire exercer leurs habiletés en matière de déduction avec des manuels scolaires. Après leur lecture, les élèves déterminent ce qu'ils ont appris et entament une discussion dans laquelle ils font le lien entre les nouveaux éléments d'information, leurs connaissances antérieures et l'information acquise lors du survol.

Stratégie 5 : L'intrigue et les thèmes

Qu'ils soient informatifs ou non, tous les textes sont remplis de thèmes. Généralement, la plupart des textes informatifs développent une idée principale accompagnée de plusieurs thèmes qui servent de base à la réflexion et aux déductions du lecteur. Quand on aborde les différences entre l'intrigue et les thèmes, il faut utiliser un texte connu pour discuter de l'intrigue. Généralement, on trouve une intrigue dans une narration ou une fiction. On appelle intrigue la série d'actions qui se déroulent dans un livre. Les thèmes représentent les idées plus larges de l'histoire. Les thèmes sont généralement sous-entendus et nous font souvent ressentir des émotions. Prenez la page 184 pour discuter de l'intrigue et des thèmes.

Commencez par un texte de fiction connu. Demandez aux élèves d'écrire l'intrigue de l'histoire. Discutez du ou des thèmes du livre. Il est important que les élèves expliquent le raisonnement qui justifie le ou les thèmes choisis. Ensuite, lisez un texte informatif. Indiquez le plan et le ou les thèmes de ce texte dans un tableau.

Stratégie 6 : Les faits et les déductions

Cette stratégie est très utile pour la lecture de manuels scolaires. Commencez par discuter de la nature des faits et des déductions : les faits sont des choses qui peuvent être vues ou observées, tandis que les déductions sont des interprétations que nous faisons avant, pendant et après la lecture. Prenez la feuille de travail de la page 185 sur les faits et les déductions pour expliquer cette stratégie. Commencez par lire un petit extrait à voix haute devant la classe. Demandez aux élèves de nommer les faits qu'ils ont entendus. Dressez une liste des faits dans la colonne **Faits.**

Ensuite, continuez en demandant aux élèves de trouver toutes les interprétations qu'ils peuvent faire en se basant sur les faits qu'ils connaissent. Notez-les dans la colonne **Déductions.** Recommencez jusqu'à ce que les élèves maîtrisent correctement le processus. Ultérieurement, les élèves pourront faire l'exercice de façon autonome ou en dyades.

Stratégie 7 : Poser des questions et faire des déductions

Pour comprendre, il faut poser des questions et faire des déductions. Quand les élèves s'interrogent sur ce qu'ils lisent, ils essaient de faire des liens. Commencez par montrer cette stratégie devant la classe entière. Utilisez la feuille de travail de la page 186 ou 187. Lisez un texte informatif à haute voix. Arrêtez-vous régulièrement pour demander aux élèves s'ils ont des questions. Écrivez ces questions dans les ovales intitulés **Question.** Continuez votre lecture en écrivant les questions éventuelles des élèves. Ensuite, recommencez l'exercice en demandant aux élèves de faire des déductions. À la fin, faites les liens entre les questions et les déductions semblables.

Stratégie 8 : Faire des déductions à partir des images

Cette stratégie fonctionne bien, car l'utilisation d'images pour trouver un sens est une stratégie utilisée par la plupart des lecteurs. Quand les élèves utilisent des images pour comprendre un texte, ils font des déductions. L'enseignant peut utiliser cette stratégie après en avoir utilisé quelques autres traitant des déductions. L'enseignant commence par choisir un livre d'images et photocopie la feuille de travail de la page 188 pour la classe. Les élèves commencent par la couverture du livre. L'enseignant lit le titre et demande aux élèves de regarder la couverture et d'expliquer ce qu'ils voient. Les élèves justifient leur réponse tandis que l'enseignant indique les déductions. Admettons par exemple que le titre soit « Une journée épouvantable ». L'enseignant demande aux élèves pourquoi cette journée pourrait être épouvantable et il remplit le tableau en discutant du titre et des illustrations de la couverture. Pendant que l'enseignant lit le livre, les élèves discutent et énumèrent d'autres images et d'autres déductions qu'ils notent.

Stratégie 9 : Faire des déductions à partir d'une image

L'enseignant choisit une image dans un texte informatif que la classe est en train de lire, photocopie cette image et la colle sur la feuille de travail de la page 189. Les élèves font des déductions à partir de cette image et ils expliquent l'information véhiculée par cette image. Ensuite, les élèves réfléchissent aux autres éléments d'information que l'image peut leur apporter, même si ces derniers ne sont pas explicites. L'enseignant explique que c'est une sorte de déduction.

Stratégie 10 : Faire des prédictions à partir du titre

Vous pouvez apprendre aux élèves à faire des prédictions à l'aide du titre du texte qu'ils vont lire. Vous pouvez utiliser la feuille de travail de la page 190 pour cette activité. L'enseignant aide les élèves à réfléchir au sujet du livre en se basant sur le titre et il leur demande ce que certains mots signifient. Après avoir lu le texte, les élèves décident s'ils pensent que le titre du livre était bien choisi. Sinon, ils peuvent proposer un meilleur titre pour le livre.

Stratégie 11 : La lecture dirigée – activité de réflexion

Cette activité fait participer activement les élèves dans la lecture. Les élèves doivent prédire, lire et prouver leurs prédictions pendant que l'enseignant pose des questions comme :

- « Que penses-tu ? »
- « Pourquoi penses-tu que ? »
- « Comment peux-tu prouver tes prédictions ? »

Les élèves doivent faire des prédictions avant de lire un passage sélectionné dans le texte. Ensuite, ils lisent le passage sélectionné. Ils relisent alors le texte pour trouver des justifications qui confirment leurs prédictions. Incitez les élèves qui ont fait des prédictions erronées à trouver des réponses. Prouver ou réfuter une prédiction requiert qu'on applique le même processus. Cette activité permet souvent aux élèves d'étendre leur réflexion. L'accent est mis sur le processus de justification de leurs prédictions en utilisant le texte. Avant de commencer à appliquer cette stratégie, vous devez lire le texte pour déterminer les arrêts, ce qui peut parfois être un défi. Commencez par ralentir votre lecture. Écoutez votre « petite voix intérieure » vous poser des questions ou faire des liens. Quand vous arrivez à un endroit du texte qui suscite une question ou vous fait vous interroger sur quelque chose ou encore faire un lien, c'est l'endroit idéal pour faire un arrêt et poser la question à la classe. Utilisez la feuille de travail de la page 191 pour cette stratégie.

Stratégie 12 : L'enquête

Cette stratégie repose sur les mêmes bases que la stratégie précédente. Elle convient parfois mieux aux textes qui comprennent beaucoup de faits et d'information. Les élèves utilisent cinq questions clés pour faire des prédictions. Ces questions sont : « Qui ? », « Quoi ? », « Où ? », « Comment ? » et « Pourquoi ? ». Utilisez la feuille de travail de la page 192 pour cette stratégie.

Stratégie 13 : L'enseignement réciproque

L'enseignement réciproque repose sur quatre compétences de base qui peuvent être utilisées avec les élèves de tous les âges et de tous les niveaux. Vous pouvez utiliser ces compétences indépendamment ou de front quand vous lisez un texte. Voici les quatre compétences en question :

1. **Résumer :** Les élèves donnent les points principaux du texte avec leurs propres mots.
2. **Poser des questions :** Les élèves inventent leurs propres questions sur ce qu'ils viennent de lire. Les autres élèves doivent répondre à ces questions en faisant éventuellement appel à des déductions.
3. **Clarifier :** Les élèves comparent les processus qu'ils ont utilisés pour éclaircir des passages confus ou ambigus du texte.
4. **Prédire :** En se basant sur les éléments d'information qu'ils ont lus, les élèves prédisent ce qui va arriver ou ce dont traitera le texte selon eux.

Cette stratégie enseigne aux élèves à faire des déductions au sujet du texte qu'ils lisent. Elle permet aux élèves de penser plus loin que les mots imprimés sur la feuille. Pour cette stratégie, l'enseignant forme des dyades et leur donne un bref passage de texte informatif à lire ensemble. Une fois la lecture terminée, les deux élèves résument le texte. Ensuite, ils se posent d'autres questions au sujet de la lecture. Chaque élève aide l'autre à clarifier le texte en se basant sur les questions posées. Finalement, les élèves prédisent ce qui, selon eux, arrivera ensuite. Cette activité pratiquée en petits groupes ou en dyades permet aux élèves de développer leurs compétences en matière de déduction. Vous trouverez un tableau reproductible à la page 193. Photocopiez-le pour les élèves afin qu'ils puissent le garder comme référence. Modelez cette stratégie plusieurs fois avec les élèves jusqu'à ce qu'ils la maîtrisent bien. Ils peuvent alors se servir de la feuille de travail de la page 194 pour réaliser l'activité.

Stratégie 14 : Les livres d'images

Les livres d'images sont idéaux pour commencer à enseigner les déductions. Des livres sans mots permettent aux élèves de comprendre en se basant uniquement sur les images. Les élèves s'entraînent à faire des déductions avec un genre connu comme les fictions et transfèrent par la suite les compétences acquises aux livres informatifs.

Choisissez un livre d'images qui ne comporte que quelques mots ou pas de mots du tout. Découvrez le livre avec les élèves, en leur demandant de créer leur propre histoire à partir de ces images, de l'écrire et de l'illustrer. Après avoir raconté l'histoire originale, demandez aux élèves de réagir au livre. Prêtez attention aux détails que les élèves choisissent d'accoler aux images. Les élèves expliquent alors ce qu'ils ont dessiné et écrit. Discutez ensemble des déductions qu'ils ont faites. Par exemple, demandez : « Pourquoi as-tu dessiné quelqu'un qui sourit ? » ou « Comment savais-tu que cette personne était heureuse ? ».

Extension : Après vous être entraîné à appliquer cette stratégie avec un texte de fiction, lisez un texte informatif à la classe. Choisissez un livre traitant d'un animal ou d'un sujet que les élèves connaissent bien. Les livres vendus en librairie regorgent de textes informatifs du niveau des élèves.

Interprète ce que l'auteur veut dire

Stratégie **2**

Consignes : Lis le texte que ton enseignant t'a donné. En petits groupes, discutez de tous les éléments d'information que l'auteur n'a pas donnés directement, mais de façon sous-entendue. Écris les déductions que tu as faites. Écris deux indices et tout autre élément que tu connaissais déjà et qui t'ont permis de faire des déductions sur ce que l'auteur voulait dire.

Titre : ______________________________

Déductions : ______________________________

____

____

Indices :

1. ______________________________

____

2. ______________________________

____

Connaissances antérieures : ______________________________

____

____

____

____

____

____

Les réactions au texte informatif

Stratégie 3

Consignes : Le lecteur lit le texte que ton enseignant a choisi. Écoute-le attentivement. Les trois autres membres du groupe peuvent noter leurs réactions sur une feuille brouillon. Quand le lecteur a terminé sa lecture, le directeur demande la réaction de chaque membre. Le directeur laisse au secrétaire le temps d'écrire les réactions avant de passer la parole au membre suivant. Finalement, le reporteur doit résumer les réactions de son groupe devant la classe.

Membres du groupe

Le lecteur : ______________________ Le directeur : ______________________

Le secrétaire : ______________________ Le reporteur : ______________________

Titre du texte : ____

Réactions

Membre 1 : ____

____

____

Membre 2 : ____

____

____

Membre 3 : ____

____

____

Membre 4 : ____

____

____

L'intrigue ou le plan et les thèmes **Stratégie 5**

Consignes : Commence par écrire le titre du livre. Dans la colonne de gauche, écris l'intrigue ou le plan du livre. Dans la colonne de droite, écris le ou les thèmes. Ensuite, écris ta réaction et ta conclusion.

Titre : ______________________________

Intrigue ou plan	Thème(s)
Réaction	**Conclusion**

Les faits et les déductions

Stratégie 6

Consignes : Lis le passage. Dresse une liste des faits dans la colonne de gauche. Dans la colonne de droite, explique comment tu comprends chaque fait.

Faits	Déductions

Les questions et les déductions 1 Stratégie 7

Consignes : Écoute l'extrait de texte lu par ton enseignant. Écris le titre du texte dans l'ovale du centre. Écris les questions dans les ovales qui se trouvent à gauche de l'ovale central. Dans les ovales situés à droite de l'ovale central, écris les déductions que tu as faites en te basant sur ces questions.

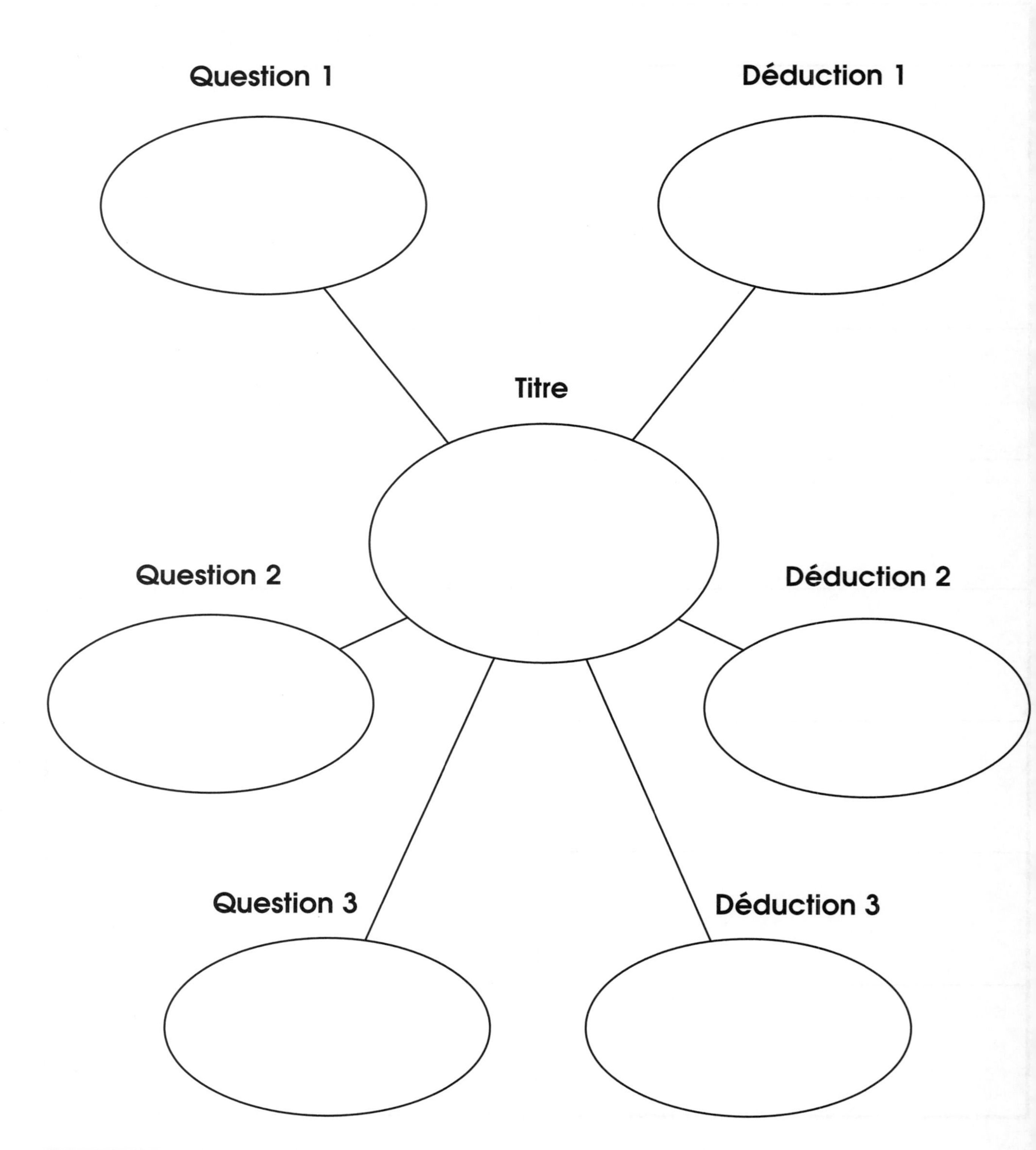

Les questions et les déductions 2 Stratégie 7

Consignes : Écoute l'extrait de texte lu par ton enseignant. Écris le titre du texte dans l'ovale du centre. Écris les questions dans les ovales qui partent de l'ovale central. Écris les déductions que tu as faites en te basant sur ces questions dans les ovales qui partent des ovales intitulés **Question.**

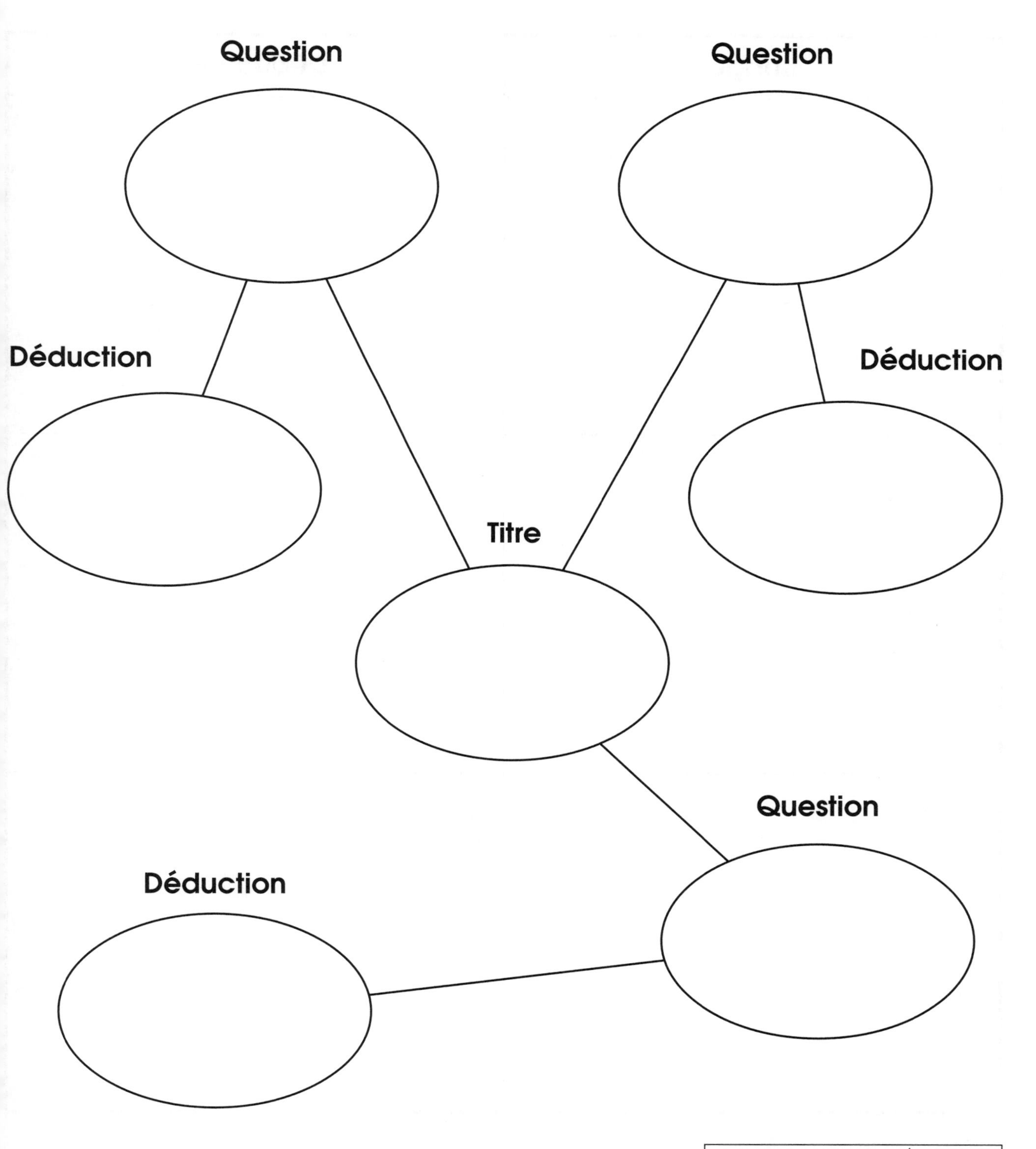

Fais des déductions à partir des images

Stratégie 8

Consignes : Prends le livre d'images que tu es en train de lire. Reproduis toutes les images ou les illustrations dans la colonne **Image** et explique ou interprète ce que tu vois dans la colonne **Déduction.**

Image	Déduction

Fais des déductions à partir d'une image

Stratégie 9

Consignes : Observe l'image. Lis les consignes qui se trouvent en dessous.

Titre du livre : ________________________________

Écris trois éléments d'information apparaissant dans cette image.

1. ________________________________

2. ________________________________

3. ________________________________

Écris trois déductions que tu peux faire à partir de cette image.

1. ________________________________

2. ________________________________

3. ________________________________

Fais des prédictions à partir du titre

Stratégie 10

Consignes : Écris le titre du livre que tu vas lire. Ensuite, lis les deux premières questions et réponds-y avant de lire le texte. Une fois ta lecture terminée, réponds à la troisième question.

Titre du livre : ______________________________

Avant de lire le texte

1. D'après toi, de quoi parle le livre ?

____

____

____

____

2. Écris quelques mots que tu penses trouver dans le texte.

__________ __________ __________

__________ __________ __________

__________ __________ __________

Après avoir lu le texte

3. Penses-tu que le titre du livre a été bien choisi ? Dans le cas contraire, propose un autre titre.

____

____

____

____

La lecture dirigée – activité de réflexion

Stratégie **11**

Consignes: Pendant ta lecture, marque des pauses pour faire des prédictions sur ce qui va se passer ensuite. Écris tes prédictions dans la colonne de gauche. Retourne alors au texte pour y trouver des éléments qui justifient tes prédictions. Écris-les dans la colonne de droite intitulée **Preuve.**

Prédictions	Preuve

L'enquête

Consigne : Tout en lisant, sers-toi de ce tableau pour faire tes prédictions.

Qui ?
Quoi ?
Où ?
Comment ?
Pourquoi ?

Le tableau récapitulatif de l'enseignement réciproque

Stratégie **13**

Questionner

Pose des questions qui t'aideront à trouver l'idée principale.

(Qu'est-ce qui est important dans le texte ?)

↓

Résumer

Quelle est l'idée principale ?

↓

Clarifier

Qu'est-ce que tu n'as pas compris ?

↓

Faire des prédictions

Qu'est-ce qui va se passer ensuite ?

Le guide de l'enseignement réciproque

Stratégie 13

Consigne : Utilise cette feuille de travail en lisant ton texte.

Nom : ______________________________

Titre de la section : ______________________________

Prédiction : ______________________________

____

Lis.

Ta prédiction était-elle correcte ? (Oui ou non) ______________

Pourquoi ? ______________________________

____

____

Questionne : ______________________________

____

____

Clarifie : ______________________________

____

____

Résume : ______________________________

____

____

CHAPITRE 10

Définir l'objectif

Les textes informatifs peuvent servir à éveiller l'intérêt des élèves pour un sujet et à les inciter à lire afin d'en apprendre davantage sur ce sujet. Cependant, assez souvent, les élèves commencent à lire un texte sans savoir pourquoi ils le lisent et sans connaître le résultat escompté. Un élève capable de déterminer et de définir clairement ses objectifs de lecture a plus de chances de répondre de façon significative et pertinente aux questions qui se rapportent au texte. L'élève qui a un objectif de lecture ou un objectif final se concentre sur les faits et les détails importants, et accorde moins d'attention aux faits mineurs et aux détails sans importance.

Le fait d'établir ou de définir un objectif de lecture entraîne une différence importante sur les plans de la concentration de l'élève et de sa capacité à se souvenir des éléments d'information. L'enseignant doit amener l'élève à définir un objectif de lecture avant de lire le texte :

- en lui demandant de faire des prédictions au sujet du texte à partir de la couverture du livre (en regardant le titre, l'auteur, les photos)
- en lui demandant : « D'après toi, que va-t-il se passer dans le texte ? »
- en lui demandant de dresser une liste de questions auxquelles il aimerait trouver une réponse dans le livre

En procédant de la sorte, l'enseignant permet à l'élève de se concentrer sur la réflexion et l'apprentissage. Il pourra par conséquent mieux lire, comprendre et se souvenir des éléments d'information qu'il vient d'apprendre.

L'objectif de lecture des textes informatifs

Les raisons qui motivent la lecture de textes informatifs sont variées (Cunningham et Allington, 1999). En voici quelques-unes :

- pour répondre à des questions
- pour poser des questions
- pour inciter l'élève à utiliser la réflexion critique
- pour stimuler l'intérêt et la curiosité de l'élève
- pour susciter un certain émerveillement
- pour développer une plus grande compréhension des gens, des lieux et des choses
- pour enrichir le vocabulaire de l'élève
- pour permettre à un élève de faire le lien entre l'information qui se trouve dans le texte et ses expériences personnelles ou le monde réel
- pour améliorer les connaissances de base d'un élève sur un sujet
- pour examiner les éléments graphiques (les photos, les tableaux, les graphiques, etc.) afin d'obtenir de l'information supplémentaire

En définissant l'objectif d'apprentissage, l'élève dispose d'une structure d'apprentissage qui facilite l'identification des éléments clés, des faits et des détails importants.

Le choix du texte

Quand il choisit les livres en fonction d'un objectif, l'enseignant doit tenir compte de cinq facteurs :

1. La lisibilité du texte : Le texte correspond-il à l'âge, aux domaines d'intérêt et au niveau de lecture de l'élève ?
2. Le sujet du texte ou du passage à lire : Le passage à lire correspond-il à l'âge, aux champs d'intérêt et au niveau de lecture de l'élève ?
3. L'auteur : Les livres de certains auteurs attirent immanquablement les élèves.
4. Le contenu : Comment le sujet est-il présenté dans le texte ? Le texte comprend-il des éléments graphiques attrayants (des photos, des illustrations, des tableaux, etc.) ? Combien de mots comptent les pages ? Quelle proportion du texte l'élève peut-il lire de façon autonome ?
5. Les raisons qui motivent la lecture : La lecture du texte vise-t-elle à bâtir les connaissances de base de l'élève, à s'entraîner à utiliser une stratégie de lecture précise ou à répondre à des questions précises sur le sujet ?

L'objectif du choix d'un texte

Quand il choisit un texte, l'enseignant doit montrer aux élèves le processus de réflexion qu'il a suivi. Voici quelques-unes des questions que l'enseignant (ou l'élève) doit se poser :

- Quelle information puis-je retirer de ce texte ?
- Quelles stratégies de lecture puis-je modeler et appliquer avec ce texte ?
- Quelles connaissances de base puis-je tirer de ce texte ?
- Comment utiliser le texte dans le cadre de discussions en classe ?

Les choix de l'enseignant

Un enseignant peut avoir recours à des textes informatifs pour enseigner de nombreux sujets. Quand un enseignant choisit un texte qu'il va donner à lire aux élèves, il doit veiller à ce que le texte (Harvey et Goudvis, 2000) :

- soit bien écrit
- éveille l'imagination de l'élève
- permette différentes interprétations
- pousse l'élève à réfléchir
- soit organisé de façon logique
- soit facile à comprendre pour l'élève
- utilise un vocabulaire clair et vivant
- convienne à l'âge et aux champs d'intérêt de l'élève

Choisir un matériel de lecture approprié

Un élève a plus de chance d'être intéressé et motivé à lire un texte si ce dernier est adapté à son niveau de lecture. L'élève qui choisit un texte à lire de façon autonome qui est adapté à son niveau de lecture pourra s'entraîner à utiliser plusieurs stratégies de lecture avec succès, lira de mieux en mieux et développera un amour à long terme pour la lecture.

La lisibilité

La lisibilité d'un texte informatif fait que l'élève est ou n'est pas capable de le lire et de le comprendre avec succès. Plusieurs aspects doivent être pris en considération pour déterminer si la lisibilité d'un texte convient à l'élève :

- Le texte présente-t-il un intérêt pour l'élève ? Si le sujet l'intéresse, l'élève sera motivé à lire le texte.
- Le texte est-il bien écrit ? Captera-t-il l'attention de l'élève ? Cela donnera envie à l'élève de lire le texte.
- Le texte présente-t-il trop de nouvelles idées ou trop de nouveaux éléments d'information ? Cela peut être très frustrant pour l'élève, car il essaiera simultanément de lire, d'apprendre et de mémoriser les éléments d'information.
- Les caractères sont-ils lisibles ? Si les caractères sont trop petits ou s'il y a beaucoup de mots sur une page, l'élève n'aura peut-être pas envie de lire le texte.
- Quels mots et quelles structures de phrases sont utilisés dans le texte ? Ces caractéristiques correspondent-elles au niveau de l'élève ? Un élève qui dispose de bonnes compétences en lecture n'aura pas envie de lire un texte simple. De même, un élève faible en lecture sera frustré de tenter sans succès de décoder un texte qui comprend beaucoup de mots multisyllabiques et de structures de phrases complexes.

Les stratégies destinées aux élèves lors du choix d'un livre

Les recherches montrent qu'un texte qui captive l'attention d'un élève est un texte qui incite l'élève non seulement à lire plus, mais également à améliorer ses compétences en lecture et en compréhension. Quand un élève choisit des livres à lire de façon autonome, il doit opter pour des livres qui :

- l'intéressent
- visent à atteindre un certain objectif : l'informer, répondre à une question, rejoindre son domaine d'intérêt personnel, etc.
- correspondent à son niveau de lecture

Les stratégies suivantes vous permettront d'aider les élèves à définir leurs propres objectifs de lecture en matière de textes informatifs.

Stratégie 1 : La liste, la catégorie, le titre

Cette stratégie de prélecture permet de bâtir les connaissances de base, d'utiliser les connaissances de l'élève sur le sujet comme base de l'apprentissage de nouveaux éléments d'information et de fournir une structure pour les organiser (Rasinski et Padak, 1996). Les élèves font une séance de remue-méninges et donnent le plus de mots possible se rapportant au sujet étudié. Ils dressent une liste et trient les mots suivant différentes catégories, en se basant sur leurs caractéristiques communes.

Une fois que les mots sont triés, les élèves donnent un nom à chaque catégorie et ajoutent éventuellement des mots pour chacune. Vous pouvez utiliser la feuille de travail de la page 203 pour cette stratégie. Voici un exemple :

Sujet : Les chiens

Liste, catégorie, titre			Races de chiens	Caractéristiques canines	Leurs objets
truffe humide	joueur	pattes	dalmatiens	truffe humide	niche
vétérinaire	bol	caniche	chihuahua	mauvaise haleine	nourriture
niche	puent	bol	chasse	oreilles	os
dalmatien	chasse	sentent mauvais	fox-terrier	pattes	récompense
protection	gémissent	bain	caniche	queue	brosse
chihuahua	récompense	collier			eau
mauvaise haleine	brosse	laisse			bol
nourriture	oreilles	queue			collier
os	fox-terrier	trucs			laisse
puces	jeux	aboyer			
poils	eau				

Stratégie 2 : Trier les mots

Il peut s'agir d'une stratégie de prélecture qui prépare les élèves aux éléments d'information qu'ils vont trouver dans le texte. Trier les mots permet aux élèves :

- de partager avec leurs camarades ce qu'ils savent déjà sur le sujet
- d'attiser leur curiosité sur le sujet
- d'apporter un objectif de lecture du texte

Cette activité ressemble à la précédente. La seule différence est qu'ici, l'enseignant propose aux élèves une liste d'une vingtaine de mots sortis du texte. Les élèves classent les mots dans différents groupes puis trouvent un titre pour chaque groupe (Rasinski et Padak, 1996). Une fois que la liste est terminée, l'enseignant peut amener les élèves à discuter du sujet. Les élèves peuvent partager leurs attentes et leurs prédictions par rapport au texte (Rasinski et Padak, 1996). Vous pouvez utiliser la feuille de travail de la page 204 pour cette activité.

Stratégie 3 : La technique SVA

Un enseignant peut aider un élève à définir un objectif de lecture en lui demandant, avant de commencer sa lecture, de faire des prédictions et de poser des questions sur le sujet à l'aide d'un tableau de la technique SVA. Le tableau de la technique SVA permet d'organiser les éléments d'information en trois catégories : « Ce que je Sais », « Ce que je Veux savoir » et « Ce que j'ai Appris ». Vous pouvez utiliser la feuille de travail de la page 205 pour cette activité.

Stratégie 4 : Le guide d'anticipation

Les guides d'anticipation peuvent servir à activer les connaissances antérieures des élèves sur un sujet, à éveiller leur intérêt et à définir un objectif d'apprentissage. Avant de lire le texte, écrivez quelques affirmations concernant le sujet sur une feuille de papier ou sur un transparent. Ces affirmations contiennent des idées et des concepts sur lesquels les élèves doivent réfléchir et discuter avant de lire le texte. Après avoir lu le texte, l'enseignant attire l'attention des élèves sur le guide d'anticipation et discute de chaque affirmation. Les élèves peuvent confirmer chaque affirmation en se basant sur des justifications provenant du texte ou bien ils peuvent changer de point de vue en se basant sur l'information nouvellement acquise (Rasinski et Padak, 1996). Vous trouverez des modèles pour cette stratégie aux pages 206 et 207.

Stratégie 5 : « Je me demande... »

Vous pouvez utiliser les affirmations « Je me demande... » pour définir l'objectif d'apprentissage complémentaire. Ces affirmations sont le résultat authentique de la curiosité naturelle des élèves à propos de toutes les choses et de toutes les personnes qui les entourent. Ce sont les « questions brûlantes » que les élèves se posent sur un sujet et qui leur permettent d'approfondir ledit sujet afin de trouver les réponses. Un enseignant peut inciter les élèves à se poser des questions sur le sujet en se posant lui-même des questions et en aidant les élèves à y trouver les réponses. L'enseignant doit montrer souvent comment utiliser cette stratégie dans la classe. Quand il lit un texte informatif, il peut marquer des pauses aux endroits appropriés et dire: «Je me demande... (complétez la phrase selon les besoins)». Cela montrera aux élèves qu'il est important de réfléchir à ce qu'ils lisent et à ce qui motive leur lecture.

Voici quelques exemples d'affirmations «Je me demande...» que les élèves peuvent faire:

- «Je me demande à quoi ressemblent les bébés pieuvres. Ont-ils huit bras à la naissance?»
- «Je me demande quels sont les ennemis des pieuvres. Je pense que les requins s'attaquent aux pieuvres, mais je n'en suis pas certain.»

Vous pouvez utiliser la feuille de travail de la page 208 pour cette stratégie.

Stratégie 6: Analyser le texte

Analyser le texte est une stratégie de prélecture importante quand on aborde un texte informatif parce que cela permet aux élèves d'avoir une certaine maîtrise du texte. En analysant le texte, les élèves peuvent définir un objectif d'apprentissage. De plus, ce faisant, les élèves sont stimulés et ils comprennent les faits et les détails importants présentés dans le texte et s'en souviennent plus facilement. Demandez aux élèves d'examiner les différentes parties du livre afin qu'ils se fassent une idée de la façon dont le texte est organisé. Laissez aux élèves suffisamment de temps pour consulter et bien connaître leurs manuels scolaires. L'enseignant doit montrer aux élèves comment procéder afin que ces derniers comprennent l'utilité de cette compétence. Une fois que les élèves ont compris la façon dont le texte est organisé, ils peuvent plus facilement déterminer les éléments clés qui sont présentés dans le texte et ils peuvent connaître le message de l'auteur à l'avance. Vous pouvez utiliser la feuille de travail de la page 209 pour cette stratégie.

Pour analyser le texte, les élèves examinent cinq parties du livre:

- la table des matières
- la préface
- les annexes
- les éléments graphiques (tableaux, cartes, diagrammes, etc.)
- les titres

L'enseignant peut poser des questions portant sur les caractéristiques citées plus haut, par exemple:

- «À quelle page sommes-nous susceptibles de trouver de l'information sur l'alimentation de la pieuvre?»
- «Où devons-nous regarder pour trouver de l'information sur la croissance annuelle d'une pieuvre?»

Une fois que les élèves ont analysé les principales parties d'un texte informatif, l'enseignant les amène vers certains indices qui indiquent la présence d'une information importante. Voici quelques-uns de ces indices:

- les mots écrits en caractères gras
- les mots écrits en italique
- les mots écrits dans une couleur différente
- les légendes qui se trouvent sous les illustrations, les photos, les tableaux et les diagrammes

Stratégie 7 : Un coup d'œil sur les photos

On peut jeter un coup d'œil sur les photos pour définir l'objectif de lecture du texte. Cet outil permet de concentrer l'attention des élèves sur les éléments d'information obtenus à partir des éléments graphiques du texte. Pour procéder, l'enseignant cache le texte avec une feuille ou avec quelques papillons adhésifs amovibles. De cette manière, il montre aux élèves qu'on peut trouver des éléments d'information en examinant attentivement les photos. Le rôle de l'enseignant est d'inciter les élèves à discuter des photos qui se trouvent dans le texte. Pendant la discussion, l'enseignant s'assure d'utiliser le plus de vocabulaire possible provenant du texte.

Stratégie 8 : Faire des prédictions

Les élèves qui disposent de bonnes compétences en lecture font des prédictions avant et pendant la lecture du texte. En lisant, les élèves confirment, rejettent ou revoient ces prédictions suivant la nouvelle information acquise. Pour justifier ces prédictions, les élèves trouvent des preuves et des détails dans le texte. Avant de lire le texte, l'enseignant demande aux élèves de partager leurs prédictions avec leurs camarades. Il note leurs prédictions sur du papier grand format ou au tableau.

L'enseignant modèle cette stratégie. Après avoir recommencé cette activité plusieurs fois, il invite les élèves à partager leurs prédictions. Ensuite, les élèves s'exercent à utiliser cette stratégie en petits groupes et en dyades.

Après avoir lu plusieurs pages ou un chapitre, l'enseignant revoit les prédictions avec les élèves. Pour chaque prédiction, les élèves décident si elle était correcte, si elle doit être modifiée ou si elle est complètement erronée et doit être retirée. Avant de revenir au texte, l'enseignant demande aux élèves de proposer d'autres prédictions en se basant sur l'information qu'ils viennent de lire. Après avoir lu quelques pages ou un chapitre supplémentaire, les élèves revoient leurs prédictions. Ces deux étapes qui consistent à faire et à confirmer des prédictions (ou encore à les modifier ou à les rejeter) peuvent être répétées plusieurs fois durant le processus de lecture. Les élèves peuvent utiliser la feuille de travail de la page 210 pour cette stratégie.

Stratégie 9 : La lecture dirigée

Étant donné que nous avons tous des stratégies qui nous conviennent mieux que d'autres, une approche intégrée est idéale pour apprendre à comprendre des textes informatifs. Au début, l'enseignant présente aux élèves l'objectif ou le résultat escompté après la lecture du texte informatif. Au même moment, il explique le vocabulaire inconnu aux élèves. Ensuite, il organise une discussion organisée sur le sujet. Cette discussion comprend des éléments d'information permettant d'activer les connaissances antérieures. Les élèves doivent analyser le texte et prédire ce dont il va traiter. Après avoir analysé le texte, les élèves et l'enseignant définissent les objectifs de lecture. Pour ce faire, l'enseignant peut se baser sur les prédictions et les autres stratégies décrites dans ce chapitre. Ensuite, l'enseignant dirige les élèves dans leur lecture. Vous trouverez un guide d'étude à cet effet à la page 211. Après avoir lu le texte, l'enseignant organise des activités pour permettre aux élèves d'utiliser l'information recueillie. L'enseignant peut utiliser la feuille de travail de la page 212 pour inciter les élèves à réfléchir à leurs stratégies de lecture.

Stratégie 10 : Les prédictions avant la lecture

Cette stratégie ressemble aux stratégies utilisées dans la lecture dirigée. L'enseignant choisit un livre informatif et il demande aux élèves de lire le titre du livre et d'observer les illustrations de la couverture. Vous pouvez remettre aux élèves la feuille de travail de la page 213 pour qu'ils écrivent leurs prédictions à partir de la page de couverture. Avant de lire le texte, l'enseignant demande aux élèves de partager leurs prédictions sur le texte avec leurs camarades. Il écrit ces prédictions au tableau ou sur du papier grand format. Après avoir lu plusieurs pages ou un chapitre, l'enseignant revoit les prédictions avec les élèves. Pour chaque prédiction, les élèves décident si elle était correcte, si elle doit être modifiée ou si elle est complètement erronée et doit être retirée. Avant de revenir au texte, l'enseignant demande aux élèves de proposer d'autres prédictions en se basant sur les éléments d'information qu'ils viennent de lire. Après avoir lu quelques pages ou un chapitre supplémentaire, les élèves revoient leurs prédictions. Ces deux étapes qui consistent à faire et à confirmer les prédictions (ou à les modifier ou à les rejeter) peuvent être répétées plusieurs fois durant le processus de lecture. Après avoir modelé plusieurs fois cette stratégie, vous pouvez leur demander de l'appliquer de façon autonome.

La liste, la catégorie, le titre

Stratégie 1

Consignes : Trie les mots écrits dans le tableau de remue-méninges suivant différentes catégories. Donne un titre à chaque catégorie.

Sujet : ______________________________

Titre : ____________	Titre : ____________	Titre : ____________	Titre : ____________

Trie les mots

Stratégie **2**

Consignes : Lis les mots de la banque de mots. Crée trois groupes. Écris les mots dans les différents groupes. Trouve un titre pour chaque groupe.

Banque de mots	Groupe 1	Groupe 2	Groupe 3

Le tableau de la technique SVA

Consigne : Remplis le tableau selon la technique SVA.

Ce que je Sais (S)	Ce que je Veux savoir (V)	Ce que j'ai Appris (A)

Le guide d'anticipation 1

Stratégie **4**

Consignes : Avant de lire le texte, écris **oui** à côté des affirmations avec lesquelles tu es d'accord et **non** à côté des affirmations avec lesquelles tu n'es pas d'accord. À côté de chaque affirmation, écris la raison qui a motivé ta réponse. Après avoir lu le texte, vérifie si tu es encore d'accord avec tes réponses.

	Affirmation	Oui/Non	Pourquoi
1.	______________	______	______________
2.	______________	______	______________
3.	______________	______	______________
4.	______________	______	______________
5.	______________	______	______________

Le guide d'anticipation 2

Stratégie 4

Consignes : Avant de lire le texte, écris **oui** à côté des affirmations avec lesquelles tu es d'accord et **non** à côté des affirmations avec lesquelles tu n'es pas d'accord. En dessous de chaque affirmation, écris la raison qui a motivé ta réponse. Après avoir lu le texte, vérifie si tu es encore d'accord avec tes réponses.

Oui/Non		Affirmation
________	**1.**	________________________________
		________________________________
		________________________________
________	**2.**	________________________________
		________________________________
		________________________________
________	**3.**	________________________________
		________________________________
		________________________________
________	**4.**	________________________________
		________________________________
		________________________________
________	**5.**	________________________________
		________________________________
		________________________________

Je me demande...

Stratégie **5**

Consignes : Choisis un sujet sur lequel tu voudrais en savoir plus. Cherche un livre informatif qui, d'après toi, répondra à cette attente. Écris le titre du livre ci-dessous. Ensuite, écris six phrases commençant par « Je me demande… » sur le sujet. Enfin, lis le livre informatif et vérifie s'il répond à tes questions.

Titre du livre : ______________________________

1. ______________________________

2. ______________________________

3. ______________________________

4. ______________________________

5. ______________________________

Analyse le texte

Stratégie **6**

Consignes : Regarde les différentes parties de ton livre. Décide ce que chacune peut t'apprendre. Ensuite, écris ton objectif de lecture pour ce livre.

- Table des matières

  Ce que je vais apprendre : ______________________________

  ____

- Préface

  Ce que je vais apprendre : ______________________________

  ____

- Annexes

  Ce que je vais apprendre : ______________________________

  ____

- Éléments graphiques (tableaux, cartes, diagrammes, etc.)

  Ce que je vais apprendre : ______________________________

  ____

- Titres

  Ce que je vais apprendre : ______________________________

  ____

Mon objectif de lecture est : ______________________________

____

____

____

Fais des prédictions

Stratégie 8

Consignes : Lis le titre de ton livre. Feuillette-le. Suis les étapes ci-dessous.

1. Fais une prédiction sur ce dont parle le livre d'après toi.

___

___

2. Lis quelques passages du livre. Ta prédiction était-elle correcte ? Veux-tu y apporter des modifications ?

___

___

3. Fais une prédiction sur ce qui, d'après toi, va se passer ensuite.

___

___

4. Lis quelques passages du livre. Ta prédiction était-elle correcte ? Veux-tu y apporter des modifications ?

___

___

5. Fais une prédiction sur ce qui, d'après toi, va se passer ensuite.

___

___

6. Lis quelques passages du livre. Ta prédiction était-elle correcte ? Veux-tu y apporter des modifications ?

___

___

Le guide d'étude

Stratégie 9

Consignes : Commence par définir ton objectif de lecture. Ensuite, parcours le texte et prédis ce que tu vas apprendre. Écris tes réponses dans les boîtes.

Objectif :
Qui :
Quoi :
Où :
Comment :

La réflexion sur ma lecture

Stratégie 9

Consignes : Après avoir lu un texte, réfléchis à la raison qui a motivé ta lecture. Réponds aux questions suivantes en inscrivant un X dans la colonne **Oui** ou la colonne **Non.**

Banque de mots	Oui	Non
Ai-je regardé le texte avant de commencer ma lecture ?		
Ai-je fait des prédictions ?		
Pendant ma lecture, me suis-je arrêté pour réfléchir à ce que je lisais ?		
Ai-je apporté des modifications à mes prédictions ?		
Après ma lecture, ai-je revu mes prédictions ?		
Ai-je résumé ce que j'ai lu dans ma tête ?		

Je peux améliorer ma lecture en ______________________________

____

____

Les prédictions avant la lecture

Stratégie 10

Consignes : Lis le titre du livre. Fais un dessin de ce dont tu penses que le livre parle. Écris ta prédiction en deux phrases.

1. ______________________________

____

____

2. ______________________________

____

____

CHAPITRE 11

Poser des questions

Les questions sont un outil efficace pour capter l'attention des élèves et pour les motiver à lire un texte informatif. Les élèves qui posent des questions clés et y répondent sont capables de discuter du texte de façon efficace, de faire le lien entre le texte, le monde et eux, d'éclaircir et de comprendre l'information présentée dans le texte (Harvey et Goudvis, 2000).

Les discussions réussies à partir de questions et de réponses relatives à un texte apportent un grand nombre de résultats positifs. Les élèves peuvent partager leurs connaissances personnelles et l'information de base qu'ils connaissent sur le sujet et entamer le processus d'échange et de réflexion sur les textes informatifs (Rasinski et Padak, 2000). Les discussions en classe ou en groupes incitent les élèves à inventer et à poser de nouvelles questions sur le sujet.

Les types de questions

Il existe deux catégories de questions qui sont les **questions authentiques** et les **questions littérales.** Une question authentique est une question posée par une personne qui n'en connaît pas la réponse. Pour répondre à ces questions, l'élève doit généralement faire appel à des compétences élevées en matière de réflexion critique plutôt que de fournir une réponse toute faite. Voici un exemple de question authentique: «Que penses-tu de (sujet) et pourquoi?». Le développement de questions authentiques découle de l'intérêt que l'élève porte au sujet et, par conséquent, l'élève pose des questions pour en apprendre davantage sur ce sujet. Un élève qui pose une question sincère et authentique fait preuve de motivation et définit un objectif de lecture et d'apprentissage

(Harvey, 1998). Une question littérale est tout à fait différente d'une question authentique. Quand l'enseignant (ou l'élève) pose une question littérale, il en connaît déjà la réponse (Rasinski et Padak, 2000). Les questions littérales sont fréquemment posées après la lecture d'une histoire et elles exigent de l'élève qui y répond qu'il se souvienne d'éléments d'information précis.

Encourager l'utilisation de questions

L'élève du primaire éprouve parfois des difficultés à formuler une question. Assez souvent, quand l'enseignant demande: « Est-ce que quelqu'un a des questions sur le sujet? », l'élève répond: « Oui, ça me plaît! ». L'élève du primaire doit apprendre à poser une question et apprendre comment y répondre pour satisfaire à plusieurs objectifs et activités d'apprentissage. Harvey (1998) propose d'intégrer des stratégies de questionnement dans le programme scolaire par le biais de certaines activités comme:

- organiser des discussions en petits groupes ou avec toute la classe
- lire à voix haute et partager avec les élèves le processus de réflexion suivi pour poser une question
- demander aux élèves d'inventer et de partager avec leurs camarades leurs questions brûlantes ou leurs « Je me demande » relatifs au sujet
- jouer à des jeux questionnaires
- inventer une « question du jour » sur le sujet étudié
- insérer des questions dans un tableau ou une toile d'histoire
- lire des articles de journaux ou de magazines qui intéressent les élèves ou qui font le lien avec le sujet étudié
- lire des livres de questions

Des recherches montrent que la capacité qu'a un élève de comprendre l'information qui se trouve dans un texte informatif est fortement influencée par ses connaissances, l'information déjà acquise et ses expériences antérieures sur le sujet (Anthony et Raphael, 1995). Un élève qui lit bien sait que poser des questions améliore sa compréhension du matériel présenté dans le texte informatif (Keene et Zimmermann, 1992).

Avant de présenter le texte à l'élève, l'enseignant l'analyse et invente des questions sur les concepts clés qui s'y trouvent. Quand l'enseignant pose une question, il montre comment utiliser les stratégies de questionnement afin de diriger l'apprentissage avant, pendant et après la lecture du texte.

Ces stratégies sont particulièrement importantes pour les élèves de français langue seconde qui ne connaissent peut-être pas les mots et les phrases utilisés dans le texte. Grâce aux questions et aux activités de lecture, ces élèves pourront développer leurs connaissances de base pour ensuite les utiliser quand ils liront un texte informatif.

L'enseignant ou l'élève peut poser plusieurs types de questions avant, pendant ou après la lecture d'un texte informatif. Voici quelques exemples de questions selon Harvey (1998), Harvey et Goudvis (2000) et Fountas et Pinnell (2001):

- des questions auxquelles on peut répondre en trouvant les éléments d'information dans le texte
- des questions visant à éclaircir des affirmations confuses et ambiguës
- des questions auxquelles on peut répondre en faisant des déductions à partir de l'information qui se trouve dans le texte
- des questions qui exigent que l'on se souvienne d'éléments d'information précis
- des questions qui entraînent une réaction émotionnelle
- des questions qui résument l'information
- des questions qui incitent à synthétiser l'information
- des questions auxquelles on peut répondre grâce à ses connaissances de base et à ses expériences antérieures
- des questions qui apportent un sens et améliorent la compréhension
- des questions permettant de découvrir de nouveaux éléments d'information ou de nouvelles idées
- des questions qui demandent des recherches supplémentaires
- des questions qui développent et étendent les connaissances de base des élèves

En posant des questions, l'élève peut établir les liens qui existent entre le texte et le monde réel. Cela lui permet également de visualiser l'information, de faire des déductions et des prédictions en se basant sur les éléments d'information connus, de synthétiser l'information et de déterminer les faits importants qui se trouvent dans le texte (Harvey et Goudvis, 2000).

Un élève qui dispose de bonnes compétences en lecture et en compréhension participe activement au processus éducatif. Des recherches ont démontré que ce genre d'élève sait comment trouver les mots repères qui indiquent la présence d'éléments d'information importants dans le texte. Il peut également regrouper ces éléments pour se faire une « idée générale » du texte.

Un élève qui se pose des questions pendant qu'il lit un texte informatif anticipe ce qui va se produire ensuite dans le texte. En « pensant à l'avance », l'élève peut chercher des éléments d'information qui prouvent ou réfutent ses prédictions (Anthony et Raphael, 1995 ; Harvey, 1998).

Les stratégies d'autoquestionnement utilisées pendant la lecture répondent à plusieurs fonctions vitales. Selon Harvey (1998), Anthony et Raphael (1995) et Robb (2000), les stratégies d'autoquestionnement :

- permettent à l'élève de prendre conscience de tout problème de compréhension
- incitent l'élève à utiliser différentes stratégies de lecture pour corriger des erreurs de compréhension
- permettent à l'élève de mieux comprendre ce qu'il lit

- permettent à l'élève de définir un objectif de lecture
- motivent l'élève à lire pour trouver les réponses à ses questions
- permettent à l'élève de prendre conscience de ce qu'il connaît déjà sur le sujet
- permettent à l'élève de prendre conscience de ce qu'il doit apprendre sur le sujet
- améliorent les connaissances de base de l'élève sur le sujet
- éclaircissent les affirmations confuses
- permettent à l'élève de surveiller sa compréhension de l'information
- permettent à l'élève d'ajuster sa stratégie de lecture ou de la remplacer pour comprendre l'information

Les questions préalables à la lecture

Voici les objectifs des stratégies préalables à la lecture :

- activer les connaissances, les éléments d'information et les expériences antérieures de l'élève sur le sujet
- construire les bases d'apprentissage de nouveaux éléments d'information
- attirer l'attention des élèves sur les faits et les détails importants
- définir un objectif de lecture pour le texte
- amener les élèves à partager leurs questions éventuelles sur le sujet avec leurs camarades avant de lire le texte
- amener les élèves à exprimer les connaissances et l'information qu'ils ont déjà acquises, lesquelles peuvent être erronées ou inutiles pour le sujet étudié

Un exemple d'éléments d'information erronés

Les expositions d'œuvres d'art nous font parfois découvrir des talents insoupçonnés et des techniques particulières. Nous avons ainsi remarqué que cet illustrateur a utilisé une encre spéciale pour dessiner ce pin.

Voici ce qui est décrit dans le texte.
(*pin, encre*)

Voici ce que l'élève comprend.
(*pain, ancre*)

Poser des questions ouvertes

Grâce aux questions, on peut utiliser les textes informatifs pour motiver les élèves à faire des recherches supplémentaires et à approfondir un sujet donné, et on peut les inciter à partager leurs opinions et leurs perspectives avec leurs camarades. Les questions ouvertes demandent aux élèves de réfléchir de façon critique à l'information qui se trouve dans le texte (Fountas et Pinnell, 2001). Les questions ouvertes admettent plusieurs réponses correctes, tant que ces dernières sont confirmées par des faits, des éléments d'information et des détails qui se trouvent dans le texte. Certaines questions ouvertes peuvent demander l'opinion de l'élève, mais ce dernier doit quand même justifier sa réponse à l'aide de faits et de détails trouvés dans le texte.

Robb (2000) a réalisé une liste de questions ouvertes pouvant être adaptées à presque tous les textes informatifs :

- Quel est le lien entre le titre et le texte informatif ?
- Comment as-tu choisi ce sujet ?
- Quel fait nouveau, inhabituel ou intéressant as-tu appris ?
- Après avoir lu le texte, y a-t-il d'autres questions que tu voudrais poser pour en savoir plus sur ce sujet ?
- Après avoir lu le texte, as-tu changé d'avis ou d'opinion sur le sujet ? Pourquoi ?

L'enseignant peut facilement modifier ou adapter ces questions ouvertes en y insérant certains verbes. Robb (2000) a dressé une liste des verbes utilisés fréquemment dans les questions ouvertes :

Verbes utilisés dans les questions ouvertes

analyser	demander pourquoi	classer	comparer	faire un lien	différencier
concevoir	évaluer	examiner	relier	montrer	

Des recherches ont démontré que la connaissance et la reconnaissance des structures textuelles et des techniques de vérification de la compréhension ont un impact direct sur la compréhension des textes informatifs (Anthony et Raphael, 1995). Un élève qui comprend comment un texte est organisé et qui connaît les techniques de vérification de la compréhension pourra plus facilement lire, comprendre et se rappeler l'information présentée dans le texte (Anthony et Raphael, 1995).

Les questions posées par l'enseignant ont une influence sur les capacités de l'élève à se souvenir de l'information qu'il vient d'apprendre et peuvent l'inciter à comprendre l'information sur le plan du contenu (Anthony et Raphael, 1995). Quand il prépare sa leçon, l'enseignant analyse le texte pour trouver les concepts clés et il invente des questions centrées sur ces concepts. L'enseignant montre aux élèves plusieurs stratégies de questionnement afin de leur permettre :

- de faire la distinction entre les faits et les détails importants
- d'accéder à leurs connaissances et à l'information déjà acquise sur le sujet
- de prendre conscience qu'il existe plusieurs structures de textes
- d'intégrer ces nouvelles connaissances à leurs connaissances antérieures sur le sujet (Anthony et Raphael, 1995)

Les questions de réflexion et les questions d'éclaircissement

Les questions favorisent l'approfondissement de l'apprentissage et l'amélioration de la compréhension (Harvey et Goudvis, 2000). Grâce aux questions, la curiosité et la motivation de l'élève à trouver des réponses sont accrues. Cette curiosité et cette motivation sont la base de la recherche de l'élève et elles l'amènent plus loin dans le texte informatif.

Les questions authentiques sont des questions dont ni l'enseignant ni l'élève ne connaissent les réponses ; ce sont des questions que l'élève se pose et qui demandent des recherches plus approfondies de sa part. Quand un élève se pose des questions authentiques au sujet d'un texte, il a davantage de chances d'être absorbé par le texte et d'être poussé à en savoir plus sur le sujet.

L'élève du primaire est doté d'une curiosité naturelle envers toutes les choses et toutes les personnes qui l'entourent. En posant des questions, l'élève découvre son entourage (Keene et Zimmermann, 1992), il est capable de se concentrer sur les faits et les détails les plus importants, et de poser des questions d'un niveau plus élevé (Keene et Zimmerman, 1992). L'élève qui est en mesure de poser des questions est capable de définir un objectif de lecture, de faire des recherches complémentaires et d'interagir personnellement avec l'information présentée dans le texte informatif (Robb, 2000). L'élève qui lit un texte informatif se pose de nouvelles questions au fur et à mesure qu'il apprend de nouveaux éléments d'information et il fait le lien entre ces derniers et ce qu'il sait déjà sur le sujet (Robb, 2000). Un élève doté de bonnes compétences en lecture pose continuellement des questions avant, pendant et après la lecture d'un texte. L'élève pose des questions pour :

- éclaircir des affirmations ambiguës
- prédire ce qui va se passer dans le texte
- imaginer le sens, l'intention, le style de l'auteur et la structure du texte
- trouver l'information qui répond à une question précise (Keene et Zimmermann, 1992)

L'enseignant doit modeler le processus de réflexion engagé pour poser des questions et apporter aide et soutien à l'élève quand il pose des questions.

Stratégie 1 : Le questionnement partagé

Cette stratégie s'est révélée particulièrement efficace pour aider les lecteurs moins expérimentés à comprendre le sens d'un texte informatif, étant donné que l'enseignement partagé et l'approche d'apprentissage permettent généralement de soutenir leur intérêt et de les maintenir concentrés. Formez des dyades et suivez les étapes suivantes :

1. Les deux partenaires lisent le premier paragraphe en silence et discutent de la réponse à donner à une question de réflexion critique que vous avez posée.
2. Un des partenaires écrit la réponse.
3. L'élève A lit doucement le deuxième paragraphe à l'élève B qui écoute afin de pouvoir répondre à une question que l'élève A lui posera.
4. L'élève B lit doucement le troisième paragraphe à l'élève A qui écoute afin de pouvoir répondre à une question que l'élève B lui posera.
5. Les deux élèves lisent le reste du texte en silence et discutent de la réponse à donner à une question que vous posez à la fin de la leçon. Chaque élève répond à cette question individuellement par écrit à la maison.

Stratégie 2 : Réfléchir avant de lire

Cette stratégie permet d'activer les connaissances antérieures de l'élève sur le sujet, fait naître des questions sur un sujet et attire l'attention de l'élève sur la manière de trouver des éléments d'information pour répondre à des questions précises (Anthony et Raphael, 1995).

L'activité de réflexion avant la lecture est un processus en trois étapes :

1. L'élève écrit le sujet du texte informatif sur la feuille de travail.
2. L'élève écrit quelques phrases qui énumèrent les choses qu'il souhaiterait approfondir sur le sujet.
3. L'élève pose des questions sur le sujet.

La réflexion avant la lecture

Sujet : Les infirmières

Trois choses que je souhaiterais savoir :

1. Pourquoi les infirmières donnent-elles des piqûres ?
2. Pendant combien d'années faut-il étudier pour devenir infirmière ?
3. Les infirmières sont-elles des médecins ?

Voici mes questions :

1. Pourquoi les infirmières portent-elles des vêtements blancs ?
2. Y a-t-il différentes sortes d'infirmières ?
3. Est-ce que les infirmières peuvent tomber malades ?

Vous pouvez facilement faire cette activité avec toute la classe ou avec de petits groupes d'élèves. Les élèves répondent et l'enseignant note les réponses sur une feuille de papier grand format ou sur un transparent. Vous trouverez un modèle de cette activité à la page 228.

Stratégie 3 : Le guide organisationnel

Les guides organisationnels permettent aux élèves d'organiser l'information, de déterminer les mots et les locutions clés et de relever les faits et les détails importants qui se trouvent dans le texte. Ils indiquent aux élèves de quelle façon l'information est organisée dans le texte. Ces guides améliorent les capacités de compréhension des élèves et leur permettent de se souvenir de l'information contenue dans les textes informatifs (Anthony et Raphael, 1995).

Il existe plusieurs types de guides organisationnels (organisateurs graphiques) qui peuvent être utilisés dans différents types de structures de textes informatifs. Voici quelques exemples :

- toiles d'histoire
- toiles d'idées
- modèles

Servez-vous de la feuille de travail de la page 229 pour enseigner aux élèves comment utiliser un guide organisationnel. Montrez plusieurs fois aux élèves comment utiliser cette stratégie avant de leur demander de l'essayer de façon autonome.

Stratégie 4 : Les questions de contenu et les questions de processus

Selon Anthony et Raphael (1995), les questions posées pendant la lecture du texte doivent être des questions de contenu et des questions de processus. Les questions de contenu servent à vérifier la compréhension du texte auprès de chaque élève et sont liées à l'objectif de lecture du texte. Les questions de contenu sont des questions auxquelles on peut répondre à l'aide de l'information présentée dans le texte et elles sont posées après que l'élève a lu une partie précise du texte.

Les questions de processus se concentrent sur les stratégies de lecture utilisées par l'élève pour arriver à une signification précise. Selon Anthony et Raphael (1995), les questions de processus permettent aux élèves :

- de faire des prédictions
- de prouver ou de réfuter des prédictions
- de déterminer les éléments du texte qui indiquent la présence d'idées importantes comme les caractères gras, l'italique, les mots soulignés, etc.

Voici quelques exemples de questions de processus :

- Quelles questions as-tu posées après avoir lu le titre du texte ?
- Quelle information du texte as-tu utilisée pour faire cette prédiction ?
- Quels mots nouveaux ou déroutants as-tu rencontrés dans le texte ?

- Comment as-tu deviné ce que signifiait un mot nouveau ou inconnu?
- Quelle est l'idée principale du texte? Qu'est-ce qui, dans le texte, t'a fait penser que c'était l'idée principale?
- L'auteur a-t-il écrit un bon texte? Explique ta réponse.

Voilà le type de questions qu'un élève doit poser pour vérifier son propre niveau de compréhension d'un texte (Anthony et Raphael, 1995). Il est important pour l'enseignant de poser des questions aux élèves pendant la lecture afin de les aider à devenir des lecteurs et des penseurs indépendants et stratégiques. Vous pouvez utiliser la feuille de travail de la page 230 pour cette stratégie.

Stratégie 5 : Poser toutes les bonnes questions

Pendant qu'ils lisent, les élèves doivent toujours garder en mémoire les cinq questions principales: Qui?, Quoi?, Quand?, Où? et Pourquoi?. Aidez-les à s'en souvenir en leur remettant une photocopie de l'organisateur graphique de la page 231 et en leur demandant de le remplir en lisant. Par exemple:

Stratégie 6 : Demander Qui?, Quoi?, Où?, Quand?, Pourquoi? et Comment?

Avant de lire le texte informatif, l'enseignant démontre comment poser des questions et faire des prédictions qui répondent aux questions Qui?, Quoi?, Où?, Quand?, Pourquoi? et Comment? (Tarasoff, 1993). L'enseignant montre comment poser des questions littérales et des questions d'inférence. Il est important pour l'élève d'avoir à répondre à quelques questions d'inférence qui lui demandent d'interpréter l'information qui se trouve dans le texte informatif et de faire des liens entre cette information et ses connaissances antérieures sur le sujet (Anthony et Raphael, 1995).

Admettons, par exemple, que vous étudiez les tigres. Voici quelques questions que vous pouvez poser:

- Pourquoi le tigre a-t-il une longue queue? (question littérale)
- Qui sont les ennemis naturels du tigre? (question littérale et d'inférence)

- Quels animaux le tigre chasse-t-il ? (question littérale)
- Où vit le tigre ? (question littérale)
- Quand le tigre chasse-t-il ? (question littérale)
- Comment le tigre se défend-il ? (question littérale)
- En regardant les dents d'un tigre, que penses-tu qu'il mange ? (question d'inférence)
- Comment les lignes du pelage du tigre lui permettent-elles de survivre ? (question d'inférence)

Après avoir montré aux élèves comment poser différents types de questions, l'enseignant demande aux élèves de poser des questions sur un sujet qui les intéresse. Pour aider les élèves, l'enseignant écrit six questions importantes (Qui ?, Quoi ?, Où ?, Quand ?, Pourquoi ? et Comment ?) au tableau ou sur une feuille de papier grand format afin que les élèves s'en souviennent. L'enseignant peut également utiliser la feuille de travail de la page 232.

Stratégie 7 : Demander à l'auteur

Les élèves s'engagent ici dans un dialogue indépendant du texte. Ils écrivent des questions quand ils y pensent, puis ils décident si leur réponse se trouve ou non dans le texte. Quand la réponse se trouve dans le texte, les élèves notent le numéro de la page ainsi qu'une brève explication. Pour chaque question sans réponse, les élèves construisent un plan permettant de trouver la réponse dans la colonne **Explique…**

Questions que tu souhaites poser à l'auteur	Réponse	Explique…
1. Qu'est-ce qu'un mammifère ?	Non (Oui) ⟶ p. 156 Un animal à sang chaud avec une fourrure ou des poils et qui allaite ses petits	Demande au professeur Vous trouverez un organisateur graphique pour cette stratégie à la page 233.
2. Les singes sont-ils des mammifères ?	Non (Oui) ⟶ p. 157	
3. Les mammifères transpirent-ils tous ?	(Non) Oui ⟶ p.	

Stratégie 8 : L'acquisition des concepts

Dans cette stratégie (Schwartz et Raphael, 1985), les élèves organisent l'information conceptuelle en analysant plusieurs attributs trouvés en réponse à cinq questions.

1. Survolez le matériel, choisissez un concept clé et lancez une discussion.

2. Demandez aux élèves de faire un remue-méninges pour trouver des éléments d'information qui répondent aux cinq questions indiquées dans l'exemple du tableau ci-dessous. Notez les éléments d'information sous forme de liste dans le tableau d'acquisition des concepts. Le remue-méninges est primordial, étant donné qu'en écoutant les associations et les explications de leurs camarades, les élèves peuvent acquérir de nouvelles connaissances. Il permet également aux élèves moins doués sur le plan scolaire de réaliser qu'ils connaissent certaines choses sur le sujet étudié. De plus, le remue-méninges permet à l'enseignant de déterminer le niveau des connaissances antérieures des élèves sur le sujet.
3. Résumez les connaissances qui ont été partagées pendant la séance de remue-méninges en vous assurant de corriger l'information erronée.
4. Affichez le tableau en classe et demandez aux élèves d'y choisir des éléments d'information pour compléter leur propre organisateur graphique. Vous pouvez utiliser celui de la page 234. Cette activité permet aux élèves de retenir les éléments d'information qu'ils ont le mieux compris ou dont ils se souviennent le mieux. (Par exemple, dans le tableau ci-dessous, à la ligne « De l'électricité », un élève peut choisir de comparer l'électricité aux arbres parce que ces deux réalités peuvent être compromises par la foudre.)

Pour présenter le tableau d'acquisition des concepts aux élèves, choisissez des exemples simples et concrets tels que :

Qu'est-ce que c'est ?	**À quoi ça ressemble ?**	**Quels sont les points communs ?**	**À quelle catégorie appartient-il ?**	**Donne un autre exemple**
De l'électricité	À un tronc	Ce sont deux énergies renouvelables	Ressources naturelles	Le gaz
Un grizzli	À un loup	Tous deux se nourrissent d'autres animaux	Mammifères	L'ours polaire
Une pomme	À une pêche	Toutes deux sont rondes et ont une peau	Fruits	Une orange

Stratégie 9 : Le schéma des connaissances

Avant de lire un texte informatif avec les élèves, étudiez-le afin de construire un schéma des connaissances. Cette technique permet aux élèves de reconnaître les questions importantes et de se concentrer sur les composantes essentielles. Un schéma des connaissances compte trois niveaux. Pour la base, choisissez trois à cinq des concepts les plus importants dont les élèves doivent se souvenir et qu'ils auront à approfondir pendant leur vie. Il s'agit du noyau de connaissances communes à tous les adultes alphabétisés. Pour le niveau central, choisissez trois à cinq concepts qui sont les connaissances utiles, les choses qui seront peut-être oubliées après la leçon, mais que l'élève pourra se rappeler des années plus tard à la suite d'un stimulus. Au niveau supérieur, indiquez trois à cinq détails qui seront vraisemblablement oubliés après la leçon. Ce sont des choses que la plupart des adultes alphabétisés ne connaissent pas (bien qu'ils sachent probablement où trouver ces éléments d'information). Affichez le schéma des connaissances et aidez les élèves à formuler des questions à partir des éléments inscrits dans les deux dernières catégories. Vous trouverez une feuille de travail vierge à la page 235.

CONNAISSANCES APPROFONDIES

cytoplasme
mitochondries
vacuoles

CONNAISSANCES UTILES

membrane cellulaire | **vertébré**
noyau cellulaire | **exosquelette**
invertébré

CONNAISSANCES ESSENTIELLES

caractéristiques communes à tous les animaux :

organismes | **cycle biologique**
cellule | **reproduction**
énergie | **environnement**
déchets | **croissance**

Questions posées par les élèves de la classe :

Quelles sont les caractéristiques communes à tous les animaux ?

Que sont les organismes ?

Quel est le lien entre l'énergie et les animaux ?

Que sont les déchets ?

Qu'est-ce qu'un cycle biologique ?

Qu'est-ce que la reproduction ?

Qu'est-ce que l'environnement et quel est le rapport avec les animaux ?

Qu'est-ce qu'une membrane cellulaire et un noyau cellulaire ?

Quelle différence y a-t-il entre un vertébré et un invertébré ?

Qu'est-ce qu'un exosquelette ?

Stratégie 10 : La tarte aux pourquoi

Vous pouvez utiliser cette stratégie pour aider les élèves à déterminer les relations essentielles qui existent entre les objets ou les concepts. Prenez la feuille de travail de la page 236. Montrez comment utiliser la stratégie en demandant aux élèves de lire un extrait d'un exposé puis de poser des questions qui commencent par « Pourquoi... » et auxquelles on ne peut répondre qu'en faisant des déductions (dont la réponse ne se trouve pas directement dans l'extrait). Demandez ensuite aux élèves de continuer la lecture et de travailler en dyades pour inventer des questions commençant par « Pourquoi... » et de discuter des réponses possibles à leurs questions. Ensuite, dites aux élèves d'échanger leurs questions contre celles d'une autre dyade et de répondre à ces questions également. Voici un exemple de « Tarte aux pourquoi » après la lecture de cet article :

Lorsque trop d'eau s'écoule dans un cours d'eau ou une rivière, cela provoque des inondations. Le niveau de l'eau monte tellement qu'elle déborde. Les gens et les animaux se noient. Les inondations peuvent emporter des maisons, des voitures et des ponts. Elles endommagent les récoltes et emportent la terre. Les hommes essaient d'arrêter les inondations depuis des milliers d'années.

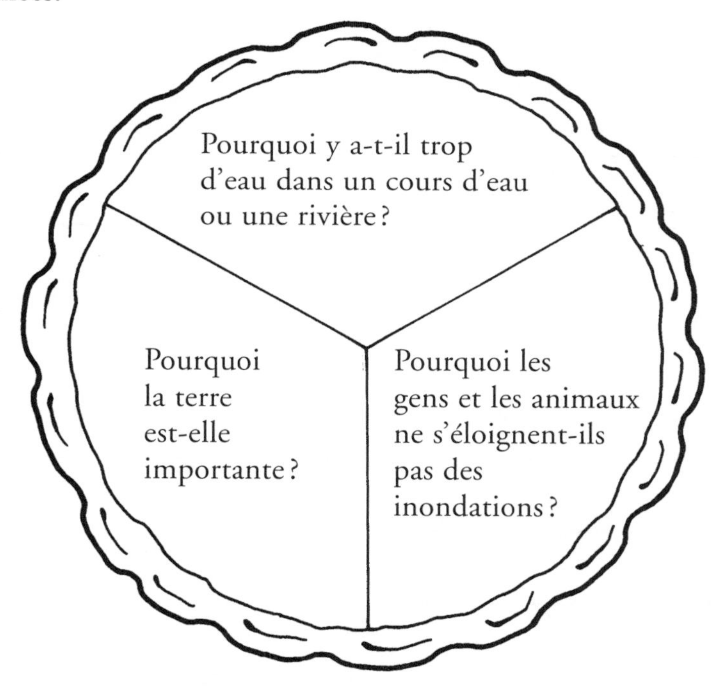

Stratégie 11 : La toile de questions

Une toile de questions (Harvey et Goudavis, 2000) repose sur une seule question fondamentale écrite bien en évidence au centre d'un cercle. Au fur et à mesure que les élèves lisent le texte, ils ajoutent des lignes qui partent de la question centrale. Ils écrivent sur ces lignes des éléments d'information liés à la question. Au bas de la feuille, les élèves utilisent les éléments d'information qu'ils ont écrits sur ces lignes pour construire une réponse d'une ou deux lignes. Ces toiles sont particulièrement pratiques pour les petits groupes de recherche coopératifs. Vous trouverez un modèle de toile à la page 237.

Réfléchis avant de lire

Stratégie 2

Consignes : Écris trois questions que tu aimerais savoir et tes questions concernant le sujet de ton livre.

Sujet du livre : ______________________________

Trois choses que j'aimerais savoir :

1. ______________________________

____

____

2. ______________________________

____

____

3. ______________________________

____

____

Mes questions :

1. ______________________________

____

____

2. ______________________________

____

____

3. ______________________________

____

____

Le questionnement

Stratégie 3

Consignes : Choisis un livre informatif. Pendant que tu lis ton livre, réfléchis à des questions que tu te poses au sujet de ton livre. Arrête-toi et écris ces questions ci-dessous. Ajoute le numéro de la page. Quand tu as terminé ta lecture, relis tes questions et essaie d'y répondre.

1. Page ________

____

____

2. Page ________

____

____

3. Page ________

____

____

4. Page ________

____

____

5. Page ________

____

____

6. Page ________

____

____

Interroge-moi !

Consigne : Réponds aux questions suivantes sur ton livre informatif.

Avant la lecture

Lis le titre. Quelles questions te poses-tu au sujet du livre à partir du titre ?

1. D'après toi, de quoi parle ce livre ?

____

____

2. Explique ta réponse.

____

____

Après la lecture

Quels mots nouveaux ou déroutants as-tu trouvés dans le livre ?

____

____

Comment as-tu compris leur signification ?

____

____

Quelle est l'idée principale du livre ?

____

____

Qu'est-ce qui te le fait penser ?

____

____

Les bonnes questions

Consignes : Tout en lisant ton texte, réponds aux questions Qui ?, Quoi ?, Quand ?, Où ? et Pourquoi ?. Écris tes réponses dans les ovales.

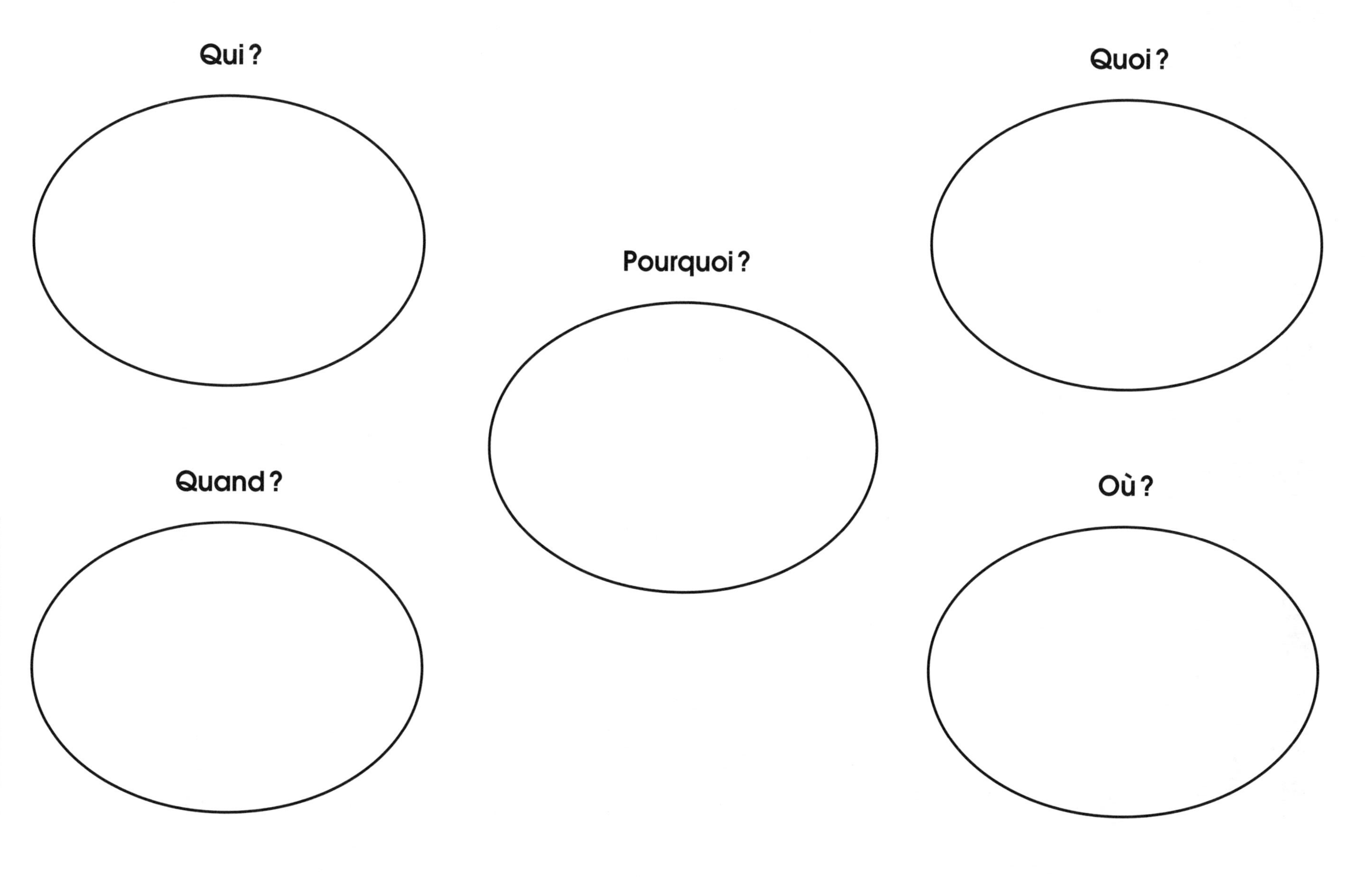

Le jeu des six questions

Stratégie 6

Consignes: Choisis un livre informatif. Avant de commencer ta lecture, pense à une question de chaque catégorie que tu pourrais poser au sujet de ton livre. Une fois que tu as terminé ta lecture, essaie de répondre aux questions.

Qui? ____________________

____

____

Quoi? ____________________

____

____

Quand? ____________________

____

____

Où? ____________________

____

____

Pourquoi? ____________________

____

____

Comment? ____________________

____

____

Demande à l'auteur

Stratégie 7

Consignes : Pendant que tu lis ton livre, écris des questions que tu as envie de poser à l'auteur. As-tu trouvé la réponse dans le texte ? Selon le cas, encercle Oui ou Non. Si tu as encerclé Oui, écris le numéro de la page où tu as trouvé la réponse. Dans la colonne **Explique…**, écris plus d'information si tu as trouvé la réponse ou, si ce n'est pas le cas, précise comment tu pourrais la trouver.

Questions pour l'auteur	Réponses ?	Explique…
	Non Oui ——► p. ______	
	Non Oui ——► p. ______	
	Non Oui ——► p. ______	

L'acquisition des concepts

Stratégie 8

Consigne : Remplis le tableau en répondant à toutes les questions.

Qu'est-ce que c'est ?	À quoi ça ressemble ?	Quels sont les points communs ?	À quelle catégorie appartient-il ?	Donne un autre exemple

Le schéma des connaissances

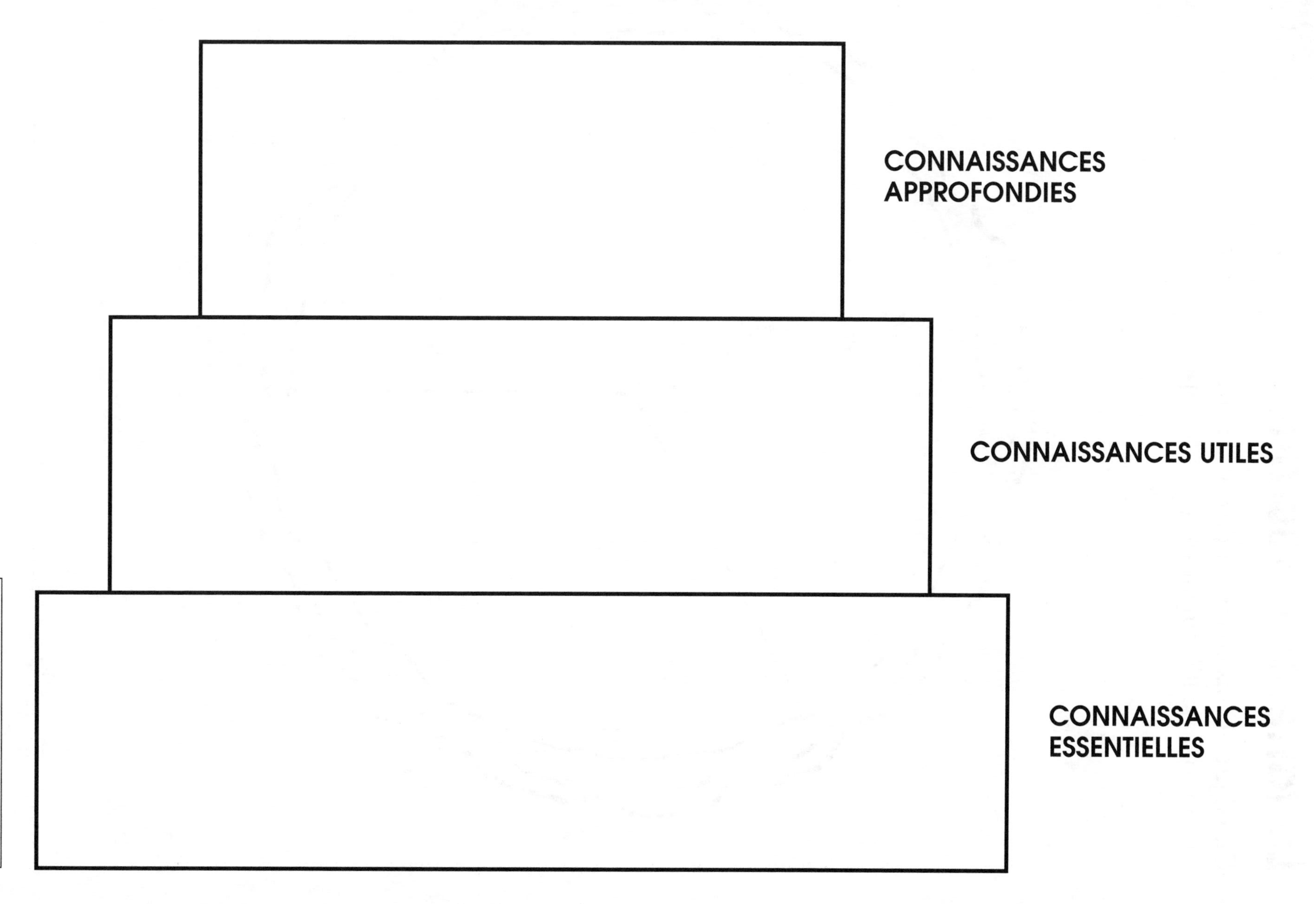

La tarte aux pourquoi

Consigne : Dans chaque morceau de tarte, écris une question à laquelle tu aimerais particulièrement trouver une réponse.

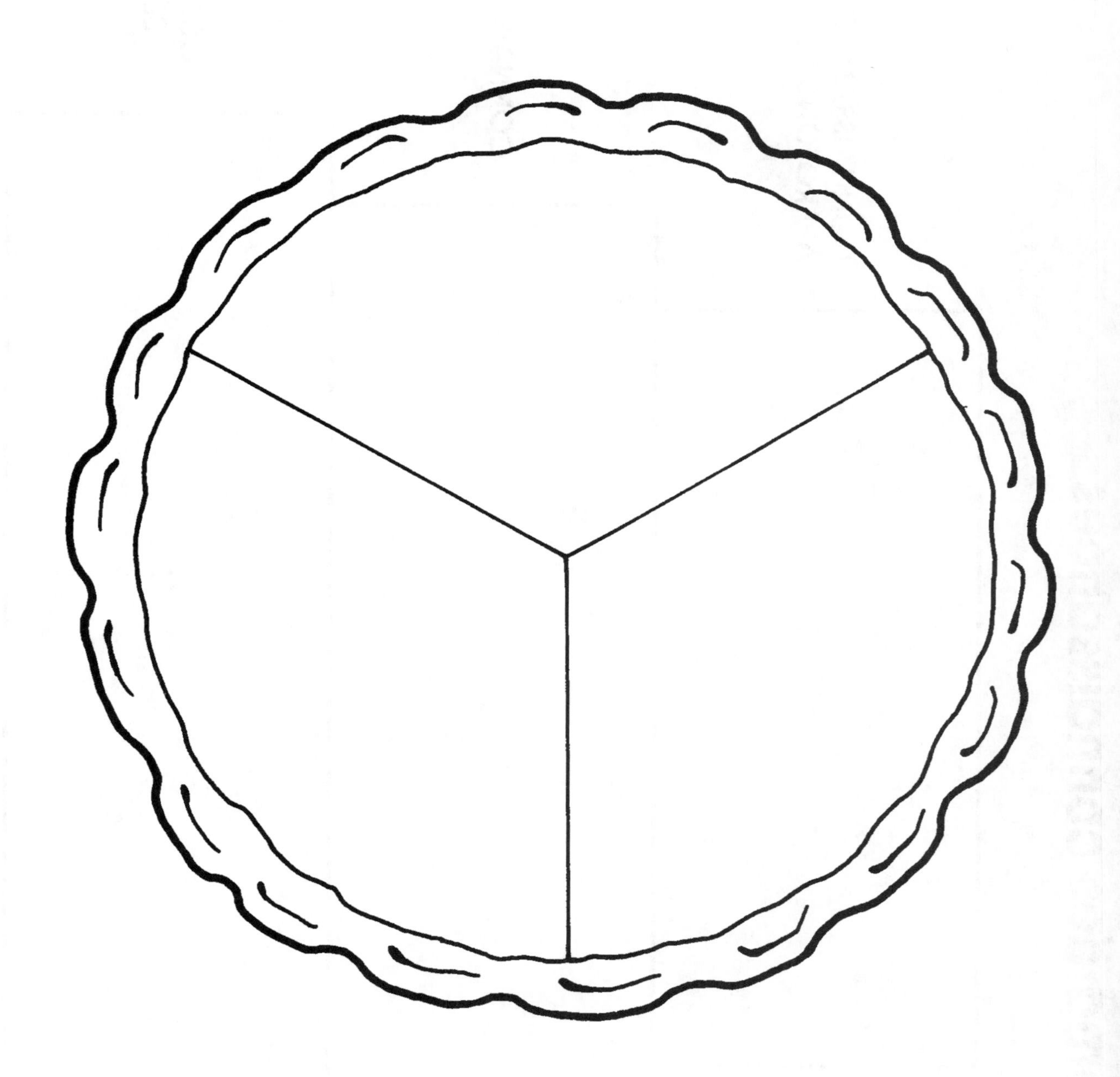

La toile de questions

Stratégie 11

Consignes : Dans le cercle, écris une question importante à propos de ce que tu lis. Sur les lignes qui partent du cercle, écris des éléments d'information liés à cette question. Ensuite, au bas de la page, réponds à la question en deux ou trois lignes.

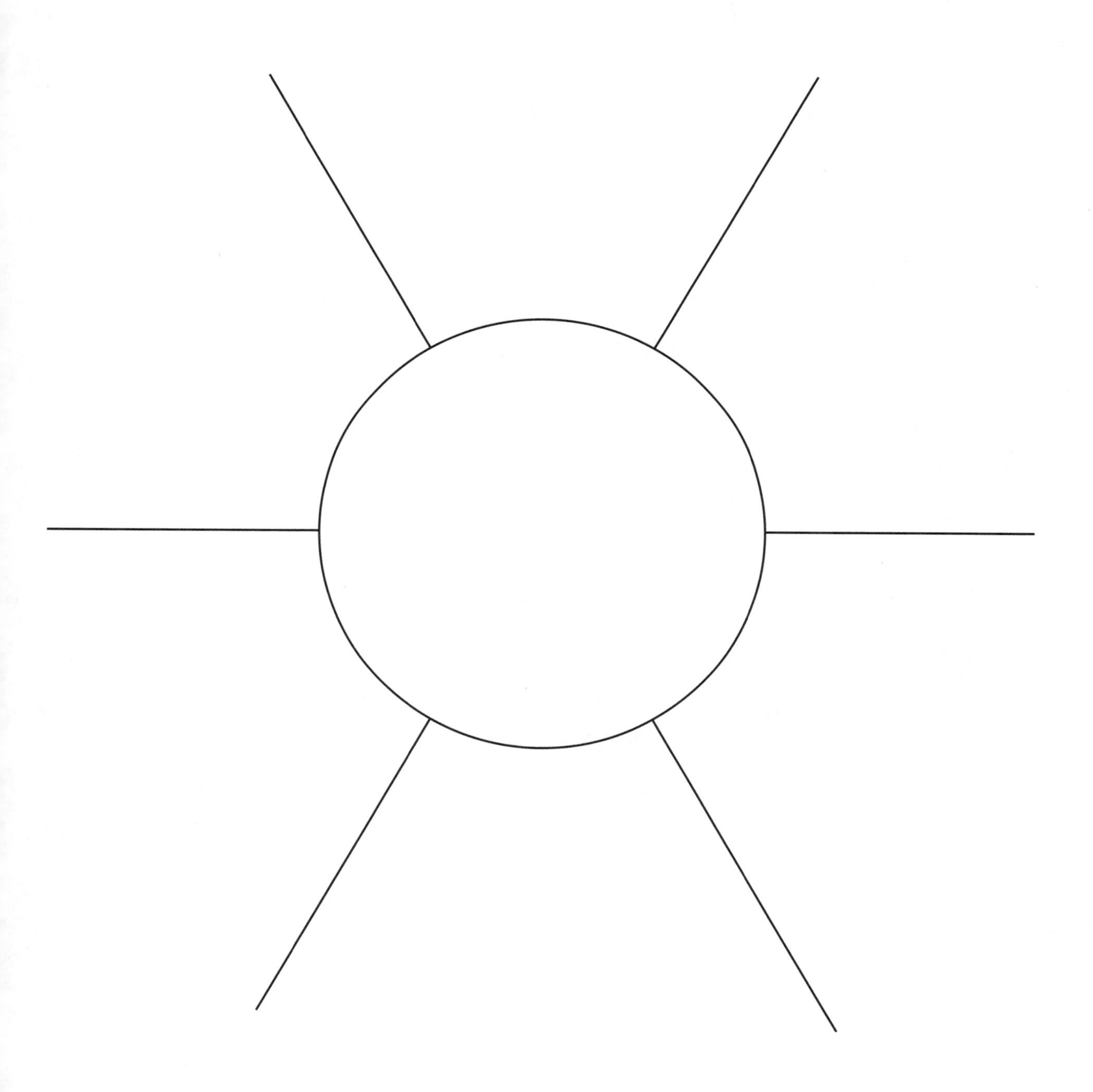

CHAPITRE 12

La visualisation

La visualisation englobe les cinq sens : la vue, l'ouïe, le goût, le toucher et l'odorat. En visualisant l'information ou les événements présentés dans le texte, l'élève peut se représenter les faits et les détails de façon multidimensionnelle. La visualisation de l'information augmente les chances de l'élève de la retenir et de s'en souvenir ultérieurement. Quand un élève crée une image, il peut ajouter des détails importants aux faits et à l'information présentés dans le texte. Il peut se représenter l'odeur de l'objet, sa sensation, son goût, le bruit qu'il fait ou ce à quoi il ressemble. Ces images sensorielles donnent vie au texte, elles rendent la lecture plus agréable et elles augmentent l'intérêt et la motivation de l'élève à le lire (Harvey, 1998).

Certains chercheurs pensent que la capacité de visualisation d'un élève est intimement liée à sa capacité de réflexion. En effet, la réflexion est liée à la capacité de rendre les pensées abstraites concrètes ; la capacité de l'élève à visualiser fait donc partie de ce processus. La recherche montre qu'un élève qui dispose de bonnes compétences en lecture construit automatiquement et instinctivement des images dans son esprit. En d'autres termes, l'élève « voit » littéralement ce qu'il est en train de lire.

La visualisation est une compétence qui peut être enseignée à la plupart des élèves. L'enseignement direct permet à l'enseignant de montrer aux élèves comment utiliser et appliquer les compétences en visualisation pour mieux comprendre l'information. Avec le temps, tandis que les capacités de lecture de l'élève s'améliorent, il lui est plus facile de visualiser l'information, les séquences d'événements ou les consignes, et d'incorporer cette connaissance dans sa banque personnelle d'éléments d'information. Les élèves peuvent avoir recours à la visualisation pour créer des images mentales des faits et des détails qui ne se trouvent pas dans le texte (Cunningham et Allington, 1999). Il existe plusieurs façons de présenter cette stratégie de lecture aux élèves.

Quand il recourt à la visualisation, l'élève amène avec lui ses connaissances et ses expériences antérieures sur le sujet et il les mélange avec les nouveaux éléments d'information appris dans le texte. L'élève utilise ces expériences pour créer des images mentales nouvelles et uniques en lisant un texte informatif. Quand l'élève lit puis écoute ses camarades partager leurs connaissances et leurs interprétations, il ajuste ses images mentales pour qu'elles reflètent la nouvelle information et il intègre cette dernière à sa banque de connaissances et d'expériences antérieures afin de créer des images uniques de la situation, du cadre, des événements, des gens, etc. Ces images relient l'élève au texte de façon personnelle et parfois permanente.

Quand un élève effectue une visualisation, il crée un « film » dans sa tête. Chaque création visuelle est unique et personnelle. Aucun autre élève ne « verra » l'information exactement de la même façon que lui. La visualisation permet à l'élève de développer les personnages, de créer le cadre, de personnaliser l'information, de demeurer concentré sur le texte et de lire pour en apprendre davantage sur le sujet (Harvey et Goudvis, 2001). On est souvent déçu de voir le film tiré d'un livre qu'on a lu, car les personnages, le cadre et les événements du film n'égalent jamais les images que nous avions créées dans notre esprit.

Des recherches ont montré qu'un élève compétent en lecture crée des images pendant et après avoir lu un texte informatif, et ce, de façon délibérée et stratégique. Cette visualisation lui permet de surveiller sa compréhension du texte et, le cas échéant, d'ajuster sa stratégie de lecture en conséquence. Les émotions et les sens de l'élève participent à ce processus de création des images. De cette façon, un lien se crée entre la nouvelle information et les connaissances antérieures de l'élève sur le sujet. Un lecteur compétent comprend le rôle de la visualisation dans l'amélioration de la compréhension de l'information (Keene et Zimmermann, 1997). Visualiser le texte permet en effet à l'élève de prendre les mots du texte pour former des images réelles et concrètes. Ce processus améliore ainsi la compréhension du texte (Harvey et Goudvis, 2001). Pour enseigner à un élève à construire des images, demandez-lui de lire (ou d'écouter) un extrait de texte, de marquer une pause pour penser et réfléchir au sujet du texte, puis de visualiser les éléments d'information du texte (Harvey et Goudvis, 2000).

Les élèves qui lisent bien utilisent les images qu'ils ont créées pour plonger dans les détails du texte. Les détails du texte donnent aux mots une dimension et une signification, captent l'attention de l'élève et font en sorte que les élèves se souviennent mieux du texte (Keene et Zimmermann, 1997).

Michael Collins propose d'autres exercices simples de visualisation pour les élèves.

- L'enseignant lit trois ou quatre pages du texte à voix haute aux élèves. L'enseignant et les élèves partagent les images qu'ils ont créées dans leur esprit.

- L'enseignant lit un livre d'images à voix haute aux élèves, sans montrer les images. Il incite ensuite les élèves à partager ce qu'ils « voient » et leur demande de comparer leurs dessins avec les illustrations du texte.
- L'enseignant demande aux élèves de dessiner grossièrement une image ou un diagramme qui représente ce qu'ils « voient » dans leur esprit et de partager leur réalisation avec l'enseignant et leurs camarades de classe.

La visualisation est liée à la métacognition. La métacognition est ce qu'on sait à propos de notre capacité de réflexion. L'importance de la visualisation dépasse l'amélioration de la compréhension et du souvenir de l'information. La visualisation exige aussi que l'élève s'entraîne à réfléchir à sa pensée et à la manière dont celle-ci est liée à ses connaissances antérieures. La visualisation permet à l'élève d'intégrer de nouveaux éléments d'information à ses connaissances et à ses expériences antérieures. Cette intégration est nécessaire pour une bonne compréhension.

Selon Harvey et Goudvis (2001), la visualisation et l'interprétation sont étroitement liées et, ensemble, ces deux stratégies de lecture améliorent la compréhension du texte. L'action de visualiser les faits et les détails renforce les capacités d'interprétation de l'élève. Quand un élève visualise une information, il fait également une interprétation de cette information. Au lieu de voir des mots, l'élève voit des images mentales (Harvey et Goudvis, 2001).

L'élève qui dispose de solides compétences en lecture crée automatiquement des images mentales dans son esprit quand il lit. Les images et les interprétations que l'élève crée lui sont uniques (Rasinski et Padak, 2000). Un lecteur compétent utilise ces images pour tirer des conclusions, pour interpréter à sa façon l'information du texte, pour se remémorer plus facilement les faits et les détails présentés dans le texte et pour se souvenir des éléments d'information après avoir lu le texte. Pendant la lecture du texte, l'enseignant rappelle aux élèves de créer dans leur esprit des images relatives à l'information lue. Après la lecture, l'enseignant demande aux élèves de faire des dessins qui représentent le contenu de leur lecture. Ensuite, les élèves montrent leurs dessins à leurs camarades.

Une fois que les élèves sont habitués à représenter concrètement les images créées dans leur esprit sous forme de dessins, l'enseignant peut aller plus loin en leur demandant de créer et de raconter ces images à leurs camarades sans les dessiner sur une feuille de papier (Rasinski et Padak, 2000).

Le lecteur compétent crée automatiquement des images mentales en lisant le texte. Les lecteurs efficaces savent que la création d'images améliore leur compréhension des faits et des détails importants et que cela leur permet de retenir les nouveaux éléments d'information, de les relier à leurs connaissances et leurs expériences antérieures et de cibler les affirmations incompatibles entre les différents paragraphes du texte. De plus, la visualisation de l'information force les élèves à organiser les éléments d'information de manière logique dans leur esprit. Les élèves peuvent partager ces éléments avec leurs camarades lors de discussions de groupe ou « récupérer » cette information en répondant à une question.

Pour créer des images dans leur esprit, les élèves doivent demeurer attentifs à la lecture du texte afin de ne pas perdre leur concentration (Harvey et Goudvis,

2000). En visualisant le texte, les élèves donnent vie aux mots utilisés. Grâce aux images et à la visualisation, les élèves rendent les éléments d'information multidimensionnels et font le lien entre eux, le texte et le monde réel (Keene et Zimmermann, 1997). Plus les liens sont signifiants, plus l'élève éprouve de facilité à mémoriser, à retenir et à se rappeler l'information.

Stratégie 1 : Des images dans mon esprit

L'enseignant montre aux élèves comment créer une image des éléments d'information du texte dans son esprit. Cette image permet à l'enseignant (ou à l'élève) de comprendre l'information qui se trouve dans le texte et de la relier à ses connaissances ou à ses expériences antérieures.

Stratégie 2 : Faire un dessin

Travaillez avec de petits groupes d'élèves. Demandez aux élèves de dessiner les images qu'ils ont créées mentalement. Montrez plusieurs fois aux élèves comment utiliser cette stratégie avant de leur demander de l'essayer de façon autonome. Leur dessin ne doit pas être un chef-d'œuvre, mais il doit contenir l'essentiel des faits ou des détails principaux du texte, tels que vus par l'élève. L'enseignant ramasse tous les dessins. Vous pouvez utiliser la feuille de travail de la page 250 pour cette activité.

Stratégie 3 : Les couleurs et les formes géométriques

L'enseignant montre aux élèves une variété de formes géométriques de couleurs différentes (les blocs mosaïque, les perles en bois, les blocs en bois, etc., conviennent parfaitement pour cette activité). L'enseignant choisit une forme et demande à l'élève de l'examiner attentivement. L'enseignant cache ensuite la forme et demande à l'élève de fermer les yeux et de la visualiser : sa taille, sa forme, sa couleur, son poids, etc. L'élève fait un dessin de la forme avec tous les détails qu'il « voit » dans son esprit. Vous pouvez utiliser la feuille de travail de la page 251 pour cette stratégie.

Stratégie 4 : Les objets concrets

L'enseignant montre un objet à l'élève. Il peut s'agir d'une boîte de crayons, d'un élément d'un équipement de sport, d'un ours en peluche, d'un bouquet de fleurs ou d'une seule fleur, etc. L'enseignant incite l'élève à utiliser tous ses sens quand il examine l'objet : il peut le sentir, le toucher, le regarder, le secouer (le cas échéant) ou le goûter (le cas échéant). L'enseignant demande alors à l'élève de décrire l'objet à un camarade en précisant tous les détails dont il se souvient. Vous pouvez utiliser la feuille de travail de la page 252 pour cette activité.

Stratégie 5 : Les objets concrets éloignés

L'enseignant demande à l'élève de visualiser un objet qui se trouve dans sa maison. Dites à l'élève de partager son image avec un camarade. Assurez-vous que l'élève mentionne le plus de détails possible sur l'objet, par exemple :

- sa couleur
- sa taille et son poids

- son allure et la sensation qu'il dégage
- son goût (le cas échéant)
- son odeur (le cas échéant)
- le bruit qu'il fait
- le son qu'il émet (le cas échéant)

Vous pouvez utiliser la feuille de travail de la page 253 pour cette activité.

L'enseignant peut aller plus loin et demander à l'élève de faire un dessin de ce qu'il voit ou demander au camarade qui a écouté la description de l'objet de faire un dessin pour représenter ce dont il pense qu'il s'agit. Le camarade peut montrer son dessin à l'élève qui a formulé la description. En un coup d'œil, l'élève voit si sa description de l'objet était précise et réalise l'importance d'inclure des détails quand il décrit un objet à quelqu'un.

Stratégie 6 : Écouter des histoires

L'enseignant lit un bref extrait de texte. L'élève écoute en gardant les yeux fermés. Après la lecture, l'enseignant demande à l'élève de décrire les images mentales qu'il a créées. Comme activité de suivi, l'enseignant peut demander à l'élève de faire un dessin de ces images. L'enseignant peut montrer cette stratégie en lisant à voix haute un extrait de texte sans images puis en dessinant devant les élèves ce que lui inspire sa lecture. Les élèves peuvent discuter entre eux des images qu'ils ont vues.

Stratégie 7 : La lecture

Tout en lisant ou en écoutant le texte, l'enseignant incite l'élève à former dans son esprit des images des éléments d'information qu'il reçoit. Ce faisant, l'élève est concentré sur l'information du texte et il utilise des images pour améliorer sa compréhension de cette information. Vous pouvez utiliser la feuille de travail de la page 254 pour cette stratégie.

Stratégie 8 : Dessiner

L'enseignant demande à l'élève de réagir au texte d'une manière qui lui permettra de visualiser ou d'imaginer l'information. Il demande ainsi à l'élève de dessiner quelque chose qui n'était pas représenté graphiquement dans le texte ou de dessiner quelque chose qui exige que l'élève réagisse au texte de façon plus personnelle (Cunningham et Allington, 1999). L'enseignant qui souhaite aller plus loin peut demander à l'élève d'écrire quelques lignes au sujet de son dessin et d'expliquer en quoi son dessin l'a aidé à comprendre l'information qui se trouvait dans le texte. Vous pouvez utiliser la feuille de travail de la page 255 pour cette stratégie.

Stratégie 9 : Dessiner sa pensée

Il s'agit d'une activité non verbale qui peut être utilisée pendant et après la lecture d'un texte. Cette activité permet à l'élève d'étendre sa compréhension du texte et de développer ses capacités de visualisation. L'élève dessine sur une feuille de papier les images d'un événement mémorable ou important du texte (pendant ou après avoir lu le texte). L'enseignant peut utiliser les dessins des élèves comme point de départ pour discuter de l'interprétation du texte (Rasinski et Padak, 2000). Le résultat est que tous les élèves participent à une discussion en utilisant des habiletés de réflexion élevées (Rasinski et Padak, 2000).

L'élève partage son dessin avec ses camarades dans un petit groupe. Plutôt que de demander à l'élève de décrire son dessin et d'en parler, les membres du groupe partagent leur interprétation personnelle et leur point de vue au sujet du dessin. Ils peuvent poser des questions à l'auteur du dessin, par exemple : « Que représente ce dessin ? », « Pourquoi penses-tu que c'est un événement important ? », « Selon toi, que signifie ce dessin et pourquoi ? ». Après que tous les camarades ont donné leur avis, l'élève qui a fait le dessin peut l'expliquer et dire ce qu'il signifie. Vous pouvez remettre la feuille de travail de la page 256 aux élèves pour qu'ils dessinent leurs déductions.

Stratégie 10 : Le centre d'écoute

L'enseignant peut créer un centre d'écoute avec les livres illustrés enregistrés sur une cassette. Les élèves écoutent la cassette deux fois avant même de voir la couverture du livre. Ensuite, ils lisent le livre, avec la cassette ou de façon autonome, et ils remplissent la feuille de travail de la page 257, « Compare des images », qu'ils remettent ensuite à l'enseignant.

Stratégie 11 : La carte conceptuelle de groupe

Cette stratégie permet d'inciter tous les élèves à réagir au texte et à constituer un cadre de discussion. Après avoir lu le texte, l'élève crée une toile d'idées qui présente les concepts importants du texte. Ces dessins ne doivent pas être des œuvres d'art, mais ils doivent montrer ce que l'élève a appris et compris du texte. Une fois la toile terminée, les élèves la montrent à leurs camarades. Ces derniers peuvent alors poser des questions ou faire des commentaires. Le résultat de ces questions et de ces commentaires consiste en une discussion poussée sur le texte et un approfondissement de l'apprentissage (Rasinski et Padak, 2000). Montrez cette stratégie plusieurs fois aux élèves avant de leur demander de la mettre en pratique.

Stratégie 12 : Le principe de la clôture

Pendant l'enfance, les êtres humains commencent à utiliser certains principes organisationnels, comme le principe de la clôture selon lequel ils ajoutent mentalement les éléments qui échappent à leur champ visuel pour voir la figure complète. C'est la raison pour laquelle l'enfant de deux ans n'est plus émerveillé quand vous dites soudain « Coucou » après avoir caché votre visage derrière vos mains : il a réalisé depuis longtemps ce qui se trouvait derrière vos mains. Vous pouvez partir de ces fondements pour montrer aux élèves des diagrammes incomplets et leur demander de visualiser et de dessiner la partie manquante. Par exemple, prenez une illustration de 20 cm sur 25 cm et couvrez deux parties à l'aide de papillons adhésifs amovibles, puis photocopiez la feuille. Demandez aux élèves d'essayer de dessiner ce qui manque. Ensuite, demandez aux élèves de compléter le dessin de la page 258.

Stratégie 13 : Les images manquantes

En se basant sur certains indices, les lecteurs compétents visualisent les images manquantes qui relient les illustrations entre elles et donnent un sens à l'histoire. Il est donc bénéfique d'utiliser les livres d'images dépourvus de texte pour enseigner la visualisation de détails manquants (Rose, 1991). Feuilletez un livre d'images sans texte avec les élèves, en regardant et en discutant des images. Demandez aux élèves de rendre par un dessin leur visualisation de ce qui se passe entre deux des images et d'expliquer leur dessin par une phrase. Par exemple, dans un livre d'Alexandra Day (*Carl's Afternoon in the Park*), une photo représente un bébé rottweiler au sommet d'une glissade et un jeune enfant qui se tient au bas de la glissade. Sur la photo suivante, on voit le chiot sur l'enfant, écrasé sur le sol au pied de la glissade. Les élèves vont adorer dessiner la photo manquante du chiot qui descend sur la glissade.

En jetant un coup d'œil rapide sur les dessins des élèves, vous pourrez détecter immédiatement les erreurs de conception et corriger le problème rapidement. Utilisez la feuille de travail de la page 259 pour des exercices complémentaires.

Stratégie 14 : Les images mentales

Pour vous assurer que les élèves comprennent ce que vous entendez par « images mentales », demandez-leur de réaliser cette activité simple mais efficace. Demandez aux élèves de plier une grande feuille blanche de papier de bricolage en six parties égales. Dites-leur : « Fermez les yeux. Vous voyez du jaune, rien que la couleur jaune. C'est comme si vous étiez avalés par la couleur jaune. Maintenant, la couleur jaune devient une forme. Elle devient une chose ; qu'est-ce que c'est ? Ne répondez pas à voix haute. Vous pourrez faire un dessin de ce que vous voyez et le montrer à vos camarades dans un instant. Concentrez-vous plutôt sur tous les détails de votre objet. Plus votre dessin sera détaillé, mieux ce sera. Maintenant, ouvrez les yeux et dessinez votre objet dans la première case. » Recommencez cette activité tous les jours, en choisissant chaque fois une nouvelle couleur.

Stratégie 15 : Les centres de réactions au texte

Demandez aux élèves de passer d'un centre de réactions au texte à l'autre (Keene et Zimmermann, 1997) afin de créer des impressions durables du texte.

Les modèles – Dans ce centre, les élèves peuvent créer des représentations en trois dimensions de leur image préférée dans le texte. Donnez aux élèves des cure-pipes, beaucoup de carton, de la pâte à modeler de plusieurs couleurs, du papier collant, de la colle, des ciseaux, de l'ouate et tout autre matériel de bricolage.

L'atelier – Dans ce centre, chaque élève crée une réaction artistique au texte. Donnez-leur des feuilles de dessin de différentes grandeurs, des pastels, des crayons de couleur, des marqueurs, de la colle, des restes de tissus, des ciseaux, de la peinture à l'eau et des pinceaux. Les élèves peuvent coller une feuille de papier ligné au bas du cadre afin de permettre aux autres élèves de réagir à leur création. Ils peuvent aussi afficher leurs réactions dans la salle ou dans le couloir. Attendez-vous à des réponses inhabituelles et très vivantes. De temps en temps, demandez aux élèves de décrire leur travail à leurs camarades, en expliquant pourquoi ils ont choisi ce médium et ces couleurs pour exprimer leurs idées.

Le théâtre – Dans ce centre, les élèves peuvent jouer les événements qu'ils viennent de lire. Aidez-les en leur fournissant des pastels, des marqueurs, du fil, des restes de tissus, des paillettes, des boutons, des agrafes et une agrafeuse, de la colle, des ciseaux, des rouleaux d'essuie-tout et de papier hygiénique vides et plusieurs photocopies des modèles de marionnettes à doigts de la page 260. Chaque enfant peut tenir deux marionnettes à doigts (une sur chaque index). Vous pouvez construire un théâtre de marionnettes à l'aide d'une grande boîte de carton vide (les boîtes d'appareils électroménagers s'y prêtent particulièrement bien). Découpez une boîte de façon à ce qu'il ne reste que trois côtés attachés. En utilisant les plis existants, pliez les côtés afin de laisser suffisamment d'espace pour les coudes. Découpez une fenêtre dans le panneau avant de la boîte. Vous avez deux options : vous pouvez découper une grande fenêtre et placer un morceau de tissu que les enfants déplaceront sur le côté quand ils joueront ou vous pouvez laisser les « volets » que vous fermerez après la représentation. Si vous optez pour ce dernier choix, collez un peu de bande velcro au dos des volets et à l'avant du théâtre afin d'éviter qu'ils se ferment pendant la représentation.

Le coin de l'écrivain – Dans ce centre, les élèves écrivent quelque chose au sujet de l'image préférée ou de l'image la plus forte que le texte leur a inspirée. Vous devez leur fournir du papier ligné, une agrafeuse et des agrafes, des crayons ou des stylos de couleurs différentes, du papier de bricolage, de la colle et des ciseaux. Les élèves peuvent créer un cadre en papier de bricolage autour de leur texte et l'afficher dans la classe afin que les autres élèves puissent le lire. Ils peuvent également coller une feuille de papier ligné au bas du cadre afin que leurs camarades réagissent au texte après l'avoir lu.

Le club – L'objectif de ce centre est de se rassembler et de discuter de ce qui a été lu. Pour détendre l'atmosphère et encourager la conversation, proposez aux élèves des chaises confortables et des tapis, des bretzels ou des craquelins, et des gobelets d'eau. Dites aux élèves qu'ils vont discuter des images qu'ils ont préférées dans le texte. Étant donné que les élèves ne produisent rien de concret dans ce centre, enregistrez les discussions pour que les élèves restent concentrés à la tâche. Surveillez les discussions pour vous assurer que les élèves ne s'éloignent pas du sujet.

Discutez du travail des élèves dans chaque centre. En procédant ainsi, non seulement vous reconnaissez le travail des élèves mais, en plus, vous avez l'occasion de démontrer au reste de la classe ce que vous attendez d'eux. Par exemple, vous pouvez lire à voix haute la réaction d'un enfant au coin de l'écrivain et dire : « J'ai aimé la façon dont Jacques a utilisé l'encre rouge pour écrire ses réactions par rapport au passage sur les volcans. Cela me permet de ressentir la chaleur intense dégagée par la fumée, les cendres et la lave. »

Stratégie 16 : Les présentations visuelles

Une façon efficace d'aider les enfants à passer de l'imagination au texte est de leur demander de transformer le matériel écrit en présentation visuelle. Cela peut se faire en disant aux élèves de faire une recherche et de penser à une façon visuelle de montrer ce qu'ils ont appris. Cette méthode force les élèves à traiter les éléments d'information en profondeur tout en évitant le plagiat. Ils transcrivent l'information dans un diagramme, dans un graphique, dans un tableau, dans un dessin ou dans une présentation multimédia informatique. Par exemple, après avoir lu un exposé dans lequel se trouve une séquence d'étapes ou d'événements, les élèves expriment les éléments d'information dans un diagramme, manuellement ou sur ordinateur. Lancez-leur un défi en leur demandant d'expliquer le processus à des enfants de maternelle (qui ne savent lire que quelques mots de base, et encore). Ils doivent donc utiliser des images et des flèches entre les étapes. Vous serez peut-être étonné de voir que les élèves qui éprouvent des difficultés à s'exprimer dans des exercices oraux ou écrits excellent dans cet exercice.

Voici quelques bons sujets pour ce type d'activité :

- Où le camion poubelle dépose-t-il les déchets ?
- Comment traite-t-on les eaux usées ?
- Comment purifie-t-on l'eau ?
- Le cycle de vie d'un animal
- Le cycle de l'eau

Stratégie 17 : L'art

Pour cette activité, vous devez rassembler des exemples d'œuvres d'art et d'art impressionniste. Montrez une œuvre d'art aux élèves. Réfléchissez à voix haute et discutez de ce que cette œuvre d'art évoque chez vous par rapport aux sens de l'ouïe, du toucher, du goût et de l'odorat. Expliquez longuement pourquoi l'œuvre d'art vous affecte de cette façon. Par exemple, voici ma réflexion à voix haute au sujet du tableau de Mary Cassatt représentant une mère qui lave les pieds de sa fille dans un bassin d'eau : « J'entends le bruit de l'eau pendant que la mère promène doucement ses mains sur les pieds de l'enfant et sa voix qui murmure des mots tendres à sa fille. Je sens l'eau froide et la chaleur du poids de l'enfant sur les genoux de sa mère. Je sens la peau chaude de l'enfant et le parfum de la mère – du lilas, je pense. Cette peinture ne m'inspire rien sur le plan du goût. Les images ne créent pas toujours une réaction de tous les sens. » Ensuite, proposez un autre exemple aux élèves et demandez-leur de noter ce que l'œuvre d'art évoque pour eux sur les plans de l'ouïe, du toucher, du goût et de l'odorat. Discutez avec eux pour savoir pourquoi, selon eux, cette peinture les affecte de cette façon.

Stratégie 18 : Trois dimensions

Pour permettre aux enfants de visualiser des cartes, utiliser une carte sur laquelle ils se baseront pour créer une ville en trois dimensions sur du carton ou sur un grand morceau de tissu quadrillé. Ils peuvent utiliser des blocs, des rubans bleus (pour former les cours d'eau et les rivières), des pailles et des cure-dents (pour les ponts et les voies de chemin de fer). Demandez-leur de noter le nom des rues sur des étiquettes autocollantes et de conduire des voitures miniatures sur un trajet donné.

Stratégie 19 : Les esquisses

Cette technique (Rose, 1991) permet d'inciter les élèves à visualiser du matériel écrit en vous donnant simultanément l'occasion de surveiller leurs visualisations. Marquez une pause à la fin de chaque paragraphe du texte et demandez aux élèves de dessiner rapidement (en 30 à 40 secondes) ce qu'ils ont vu. Étant donné que ces dessins doivent être rapides et sans détails, fournissez-leur du matériel qui les incitera à se dépêcher comme des pastels, des pastels à l'huile ou des marqueurs. Si les élèves rechignent à dessiner rapidement et sans détails, expliquez qu'il ne doit s'agir que d'esquisses visant à se souvenir des images vives et détaillées qu'ils ont créées dans leur esprit.

Stratégie 20 : Utiliser ses connaissances antérieures

Donnez une grande feuille de papier de dessin blanc aux élèves et demandez-leur de dessiner ce qu'ils savent d'un sujet avant de lire quoi que ce soit sur ce sujet. Par exemple, au cours de mathématiques, si vous avez décidé d'apprendre aux élèves à lire une horloge analogique, couvrez toutes les horloges analogiques de la classe, puis demandez aux élèves de dessiner ce qui, dans leur esprit, pourrait ressembler à une horloge analogique.

Dessin avant la lecture

Dessin après la lecture

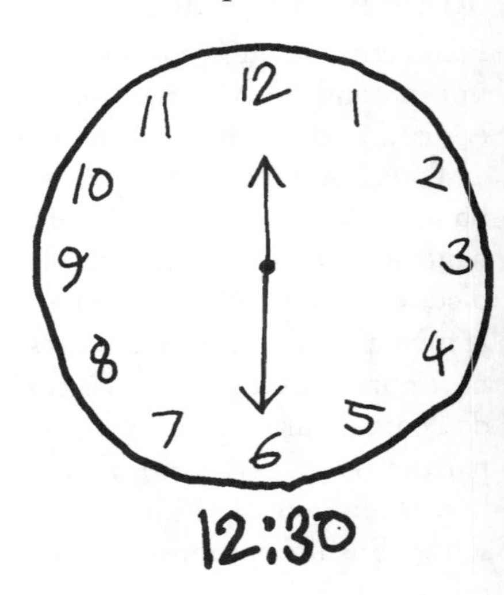

Vous voyez que cet élève a revu son image mentale pour indiquer l'heure correcte sur l'horloge. Il a modifié la longueur des aiguilles ainsi que la façon d'écrire l'heure. Cette activité prouve clairement ce que chaque élève a appris et cela constitue un excellent élément de portfolio.

Stratégie 21 : Les collages sensoriels

Cette activité est plus facile à réaliser avec un texte de fiction. Demandez aux élèves de réagir au texte en collant des images dessinées à la main et des images découpées dans de vieux magazines. Demandez aux élèves d'insérer au moins une image correspondant à chaque sens. Ils doivent avoir une image qui montre une chose qu'ils ont vue en lisant le texte, mais aussi une image qui montre…

- ce qu'ils ont entendu
- ce qu'ils ont senti
- ce qu'ils ont goûté
- ce qu'ils ont touché
- ce qu'ils ont ressenti (émotions)

Élément	Vue	Toucher	Odorat	Ouïe	Goût
Assiette à tarte	Rond, large, en céramique	Lourd, fragile	La cuisine de ma grand-mère	Beaucoup de gens qui parlent autour d'une table	Une tarte aux pommes avec crème glacée

Stratégie 22 : Les images sensorielles

Présentez l'organisateur graphique des images sensorielles de la page 261 en analysant des objets que les enfants rencontrent dans la vie de tous les jours. Demandez aux élèves de définir les éléments des objets qui affectent chacun de leurs sens et remplissez l'organisateur graphique. Montrez comment faire cette activité en présentant aux élèves une assiette à tarte et en réfléchissant à voix haute pour remplir l'organisateur graphique.

Expliquez que bien que l'assiette à tarte ne contienne pas de nourriture, l'objet évoque ces souvenirs pour vous. Lorsque les élèves ont réalisé quelques fois cette activité, montrez-leur des articles liés à un texte informatif que vous comptez lire ultérieurement et demandez-leur de remplir l'organisateur graphique avant de lire (s'ils disposent de quelques connaissances antérieures sur le sujet) ou après avoir lu (s'ils ne disposent d'aucune connaissance antérieure sur le sujet).

Stratégie 23 : Utiliser ses émotions

Certaines des images les plus durables proviennent des émotions et non des sens. Une stratégie importante pour aider les élèves à faire le lien émotionnellement avec le texte est de lire un extrait sur le même événement écrit suivant deux points de vue. Les deux points de vue différents donneront aux élèves une compréhension globale de la situation. Par exemple, si vous lisez un texte sur la vie dans la savane africaine et sur la façon dont les lions chassent et mangent des gazelles, lisez un texte écrit selon la perspective du lion et un autre écrit selon le point de vue de la gazelle. Ensuite, posez des questions de ce type :

- Quelles émotions as-tu ressenties en tant que lion ?
- À quoi as-tu pensé en voyant le troupeau de gazelles en train de paître ?
- Comment te sentais-tu par rapport aux gazelles ?
- Quelles émotions as-tu ressenties en tant que gazelle ?
- Quelle a été ta première pensée en voyant les lions dans les herbes hautes ?
- Comment te sentais-tu par rapport aux lions ?

Stratégie 2

Fais un dessin

Consignes : Qu'as-tu vu après avoir lu (ou écouté) le texte ?

Fais un dessin de ta visualisation.

Vois et dessine des formes

Stratégie 3

Consignes : Ferme les yeux et réfléchis à la forme qui t'a été montrée. Dessine la forme.

1. Quelle forme as-tu vue ? ______________________
2. Quelle était sa taille ? ______________________
3. Quelle couleur avait-elle ? ______________________
4. Était-elle lourde ou légère ? ______________________
5. Combien de côtés avait-elle ? ______________________
6. Combien d'angles avait-elle ? ______________________
7. De quoi te souviens-tu encore au sujet de la forme ? ______________________

Visualise : utilise tes sens

Stratégie 4

Consigne : Décris l'objet présenté en inscrivant tes réponses dans les ovales appropriés.

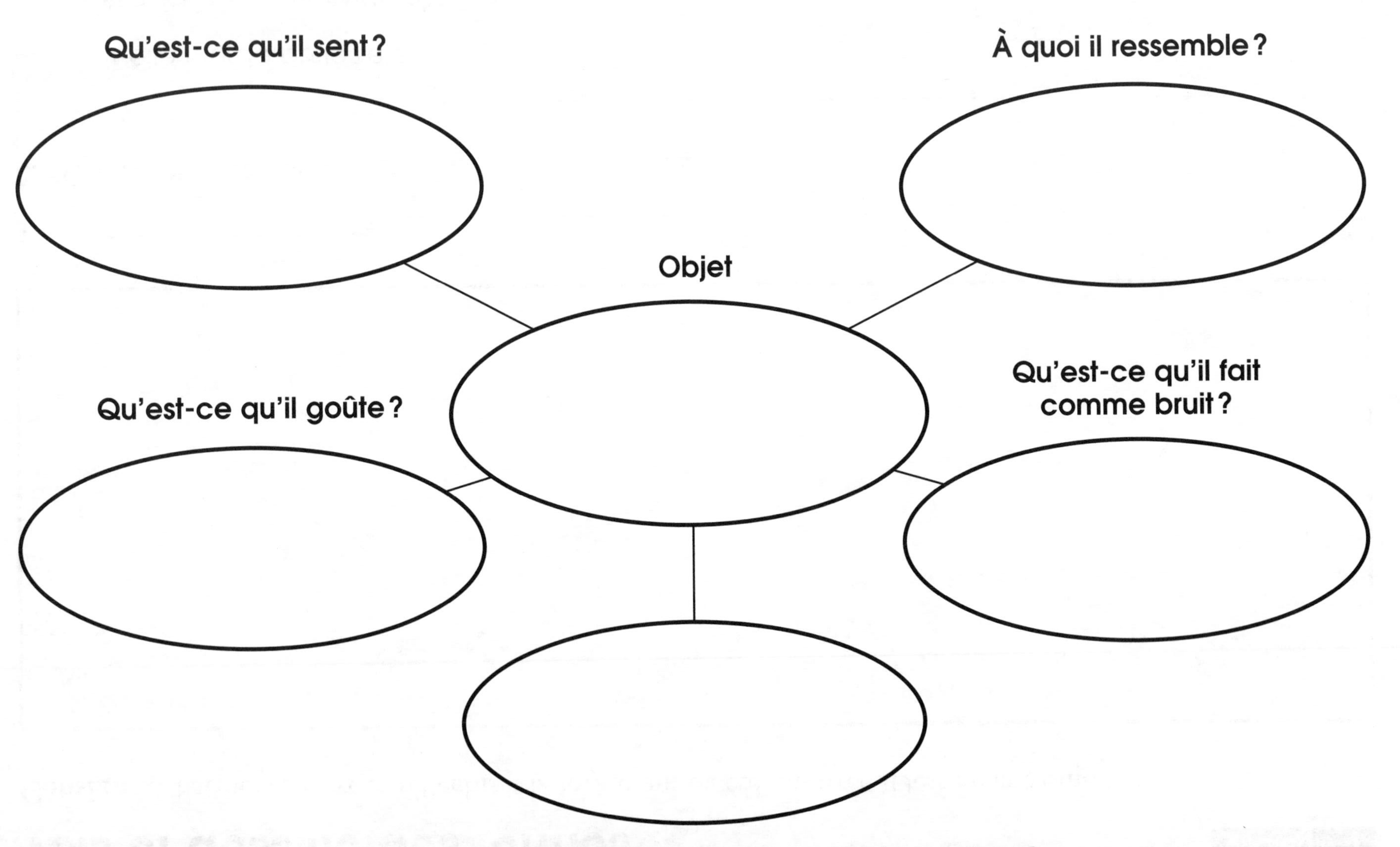

Visualise des objets éloignés

Stratégie 5

Consignes : Pense à un objet qui se trouve à la maison, dans la cour de récréation, dans ton endroit préféré, etc. Dessine cet objet. Ton dessin doit comprendre le plus de détails possible.

Objet : ______________________________

Stratégie 7

La visualisation pendant et après la lecture

Consignes : Dessine et décris les images qui te viennent à l'esprit lors de ta lecture.

Titre du texte : ______________________________

Ma visualisation pendant la lecture :	Ma visualisation après la lecture :
______________________________	______________________________
______________________________	______________________________

La visualisation des faits et des détails importants

Stratégie 8

Consignes : Dessine ce qui, selon toi, était important dans le texte. Explique en une phrase pourquoi tu penses que ce fait était important.

Titre du texte : ______________________________

Fais des déductions à l'aide des visualisations

Stratégie 9

Consigne : Réponds aux questions.

Titre du texte : ______________________________

1. Que peux-tu dire en regardant l'image ?

____
____
____
____
____

2. Selon toi, que s'est-il passé avant cette image ?

____
____
____
____
____
____

3. Selon toi, que va-t-il se passer après ?

____
____
____
____
____

Compare des images

Stratégie **10**

Consigne : Réponds aux questions.

Quels étaient les **points communs** entre les images du livre et les images mentales que tu t'étais faites ? Cite au moins deux points communs.

Quelles étaient les **différences** entre les images du livre et les images mentales que tu t'étais faites ? Cite au moins deux différences.

Quelles images préfères-tu ?

Pourquoi ? Donne au moins deux raisons.

Termine le dessin

Stratégie 12

Consignes : Termine le dessin. Ensuite, au verso de la feuille, dessine l'avant de la maison de poupée.

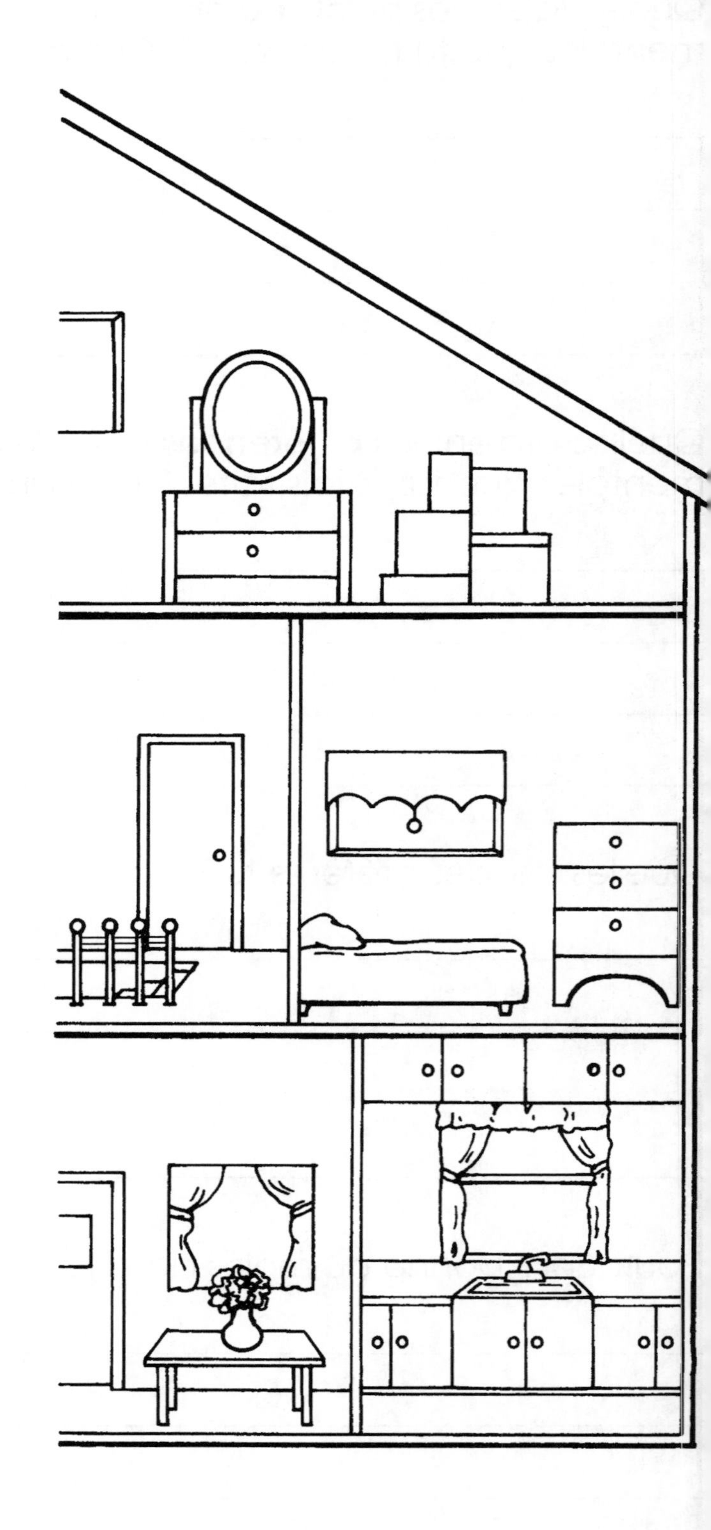

Imagine ce qui manque

Stratégie 13

Consigne : Illustre les événements qui, selon toi, se produisent avant et après ceux déjà illustrés.

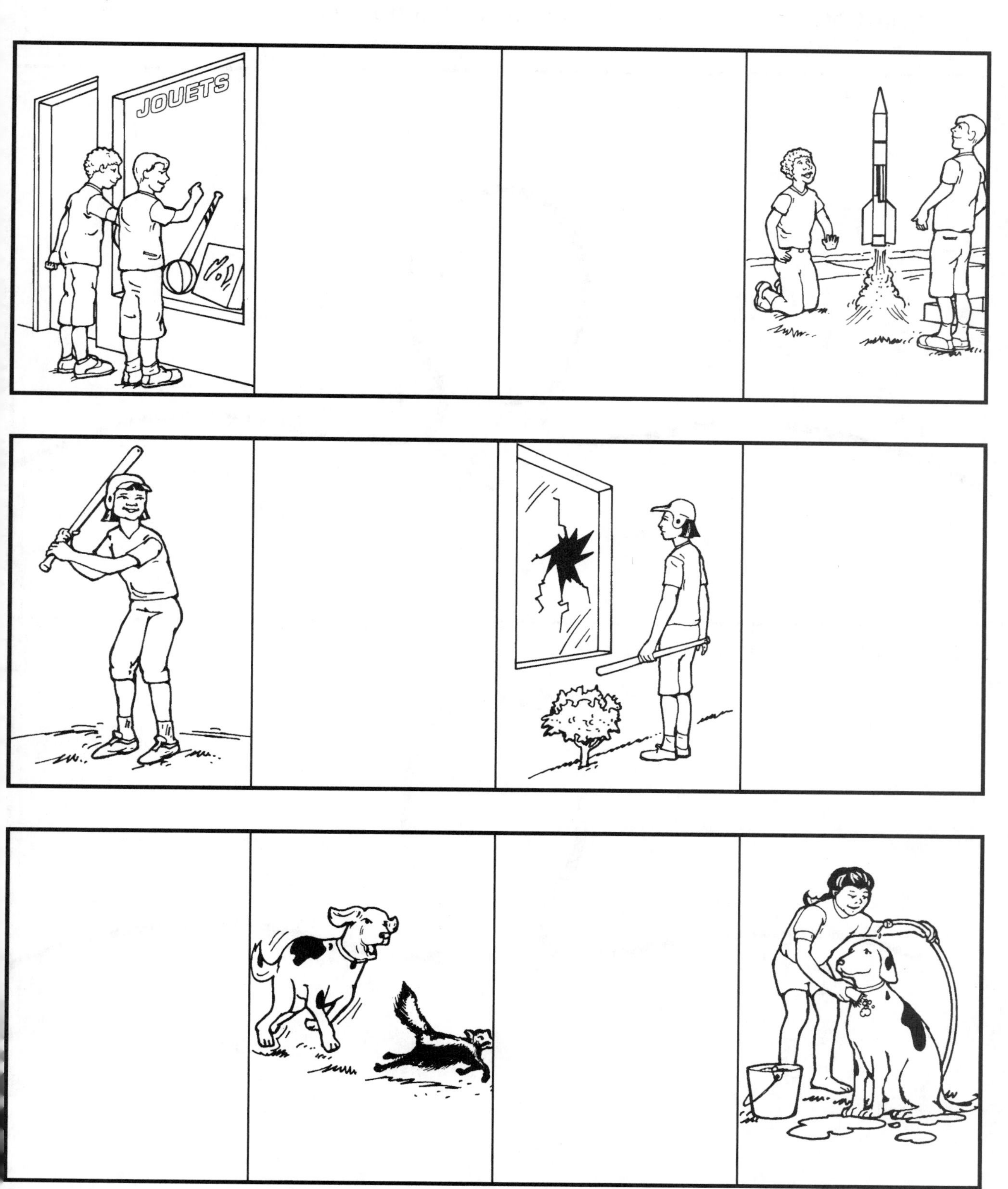

Les modèles des marionnettes à doigts du théâtre

Stratégie 15

Consigne : Sers-toi de ces modèles pour confectionner des marionnettes.

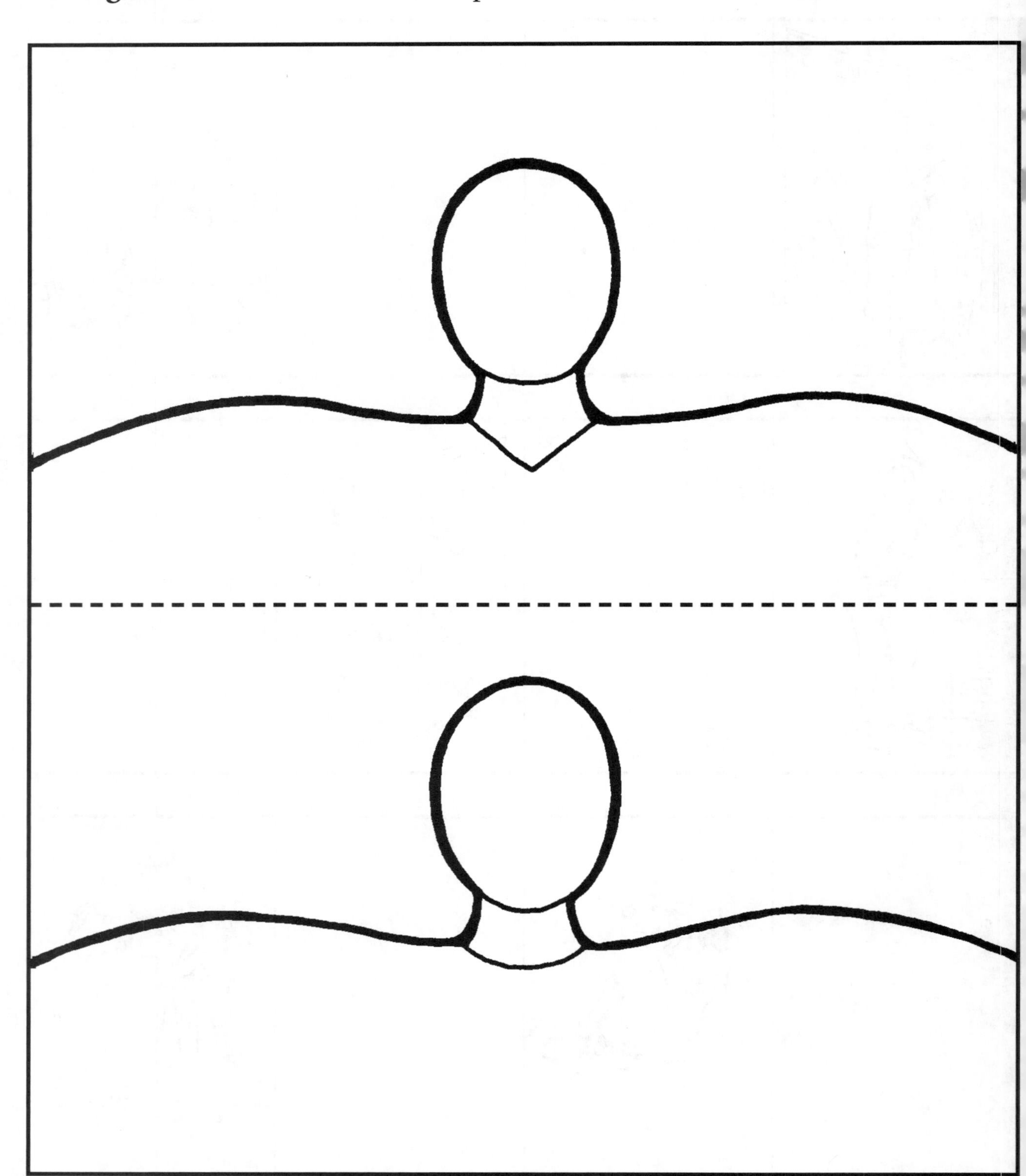

L'organisateur graphique des images sensorielles

Stratégie **22**

Objet :	Vue	Toucher	Odorat	Ouïe	Goût

Index des fiches reproductibles sur le cédérom

À propos du cédérom

Le cédérom peut être utilisé dans les environnements Macintosh ou Windows. Pour une utilisation optimale, votre poste doit avoir au minimum l'équipement suivant.

Environnement Windows

- Pentium 233 mégahertz
- Système d'exploitation Windows NT, 98, Millenium, 2000 ou XP
- Lecteur de cédérom
- Moniteur pouvant afficher une résolution de 600 × 800 pixels avec milliers de couleurs
- Accès à une imprimante

Environnement Macintosh

- Mac G3
- Système 9.0 avec l'extension « CarbonLib 1.3.1 » (pour télécharger cette extension, visitez le site Web de Macromédia : http://www.macromedia.com/go/download_carbonlib)
- Lecteur de cédérom
- Moniteur pouvant afficher une résolution de 600 × 800 pixels avec milliers de couleurs
- Accès à une imprimante

Assurez-vous d'avoir le logiciel Adobe Acrobat Reader version 4 ou plus, de la compagnie **Adobe.** Pour vous procurer gratuitement une version de ce logiciel, visitez le site Adobe à l'adresse suivante : http://www.adobe.fr/products/acrobat/readstep.html.

Mise en garde

La qualité d'impression des divers documents peut varier si vous utilisez d'autres plateformes. La qualité d'impression dépend aussi des capacités de votre imprimante.

Sauf dans le cas d'une défectuosité technique, ce produit n'est pas remboursable si la pochette autocollante est ouverte.

Si vous désirez nous adresser des commentaires, vous pouvez nous joindre à l'adresse suivante : clientele@cheneliere.ca.